王　　文　　華
中　時　人　間　副　刊　「三　少　四　壯　集」

The Protein Girl

蛋白質女孩

たんぱく質な女

兩名都會男子的愛情冒險，眾多善良女子的恐怖經驗。

王文華◎著

安靜的發狂者

安靜的發狂者，是很耐人尋味的。比方說，王文華。

我認識不少發狂者，多半發狂得很熱鬧，所以我也比較習慣大聲的發狂方式，像王文華這種安靜的發狂法，難免令我深感稀奇。

有人大概要問了：「王文華有發狂嗎？」我的回答是：「噢，確實如此，各位，看看他這些文章吧。他豈止是在發狂，他簡直是在發春呢。」

安靜的、定期的、持續的發春，而完成了一本書。

發言至此，肯定會被高人攔住。有見識的高人，會忍不住這樣提醒我：「人類整個文明，恐怕都來自安靜的、定期的、持續的發春吧！」

是的，沒錯，莫札特、畢卡索、李商隱，都會對這句話大點其頭。只是，這幾位的發春對象有時比宇宙還大，有時比細菌還小，使得他們的作品也就跟著有時鋪天蓋地，有時又像微血管般隱蔽淡漠。

相形之下嘛，王文華君這本《蛋白質女孩》發春的對象，實在是具體到令人為他難為情吧。當然，錯過青春的男生，一旦終於理解到這終究還是由漂亮妹妹所主宰的世界之後，倉皇失措是在所難免，其中，當然也就包括了像王文華這樣喋喋不休以求自處之道的案例。

王文華這本書顯然立意並不高貴，但這卻令我心生敬意。此書中處處可見王文華君驚人的意志力、苦心孤詣的揣度模擬、徒勞無功的分類，還有，歇斯底里的押韻。

天可憐見啊，卑微之心，也能因奮力燃燒而綻射光芒，受天譴之王者薛西弗斯光推石頭，就能產生意義了，王文華君這麼用力對付普天下的蛋白質女孩，總不會一無所獲的吧？

起碼有我把你跟莫札特扯在一起了呀，王文華。

蔡康永

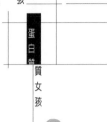

The protein Girl

目錄 CONTENTS

CONTENTS

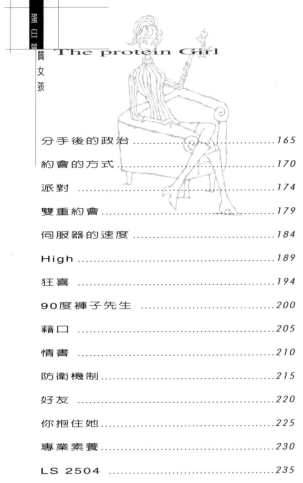

The protein Girl

■CONTENT

Ne me laisse qu'une charpe de pilou
Qui tait autour de son cou
Comme un oiseau, mon albumine loulou,
Toujaors, elle fait son nid
Dans le cœur des amours.

The Protein Girl

蒼蠅 · 鯊魚 · 狼

蒼蠅第一次性經驗是在成功嶺，然而當時並沒有人來探親。鯊魚初期繞著獵物游來游去，最後則是吃葡萄不吐葡萄皮。狼彬彬有禮、葷腥不忌、攻守有據、處變不驚。約會的對象不限台北，而是全球華人社區……

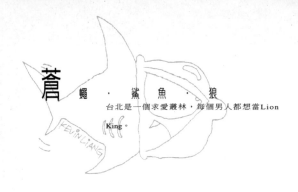

蒼蠅・鯊魚・狼
台北是一個求愛叢林，每個男人都想當Lion King。

蒼蠅、鯊魚、狼

　　台北的男人分成三種：蒼蠅、鯊魚、狼。遇到他們你會了解，人和禽獸真的沒什麼兩樣。

　　台北男人有很多問題：缺乏禮儀、大男人主義、不懂得打扮自己，而最嚴重的是心靈空虛。心靈空虛自然要修身養性，我們可以去學鋼琴或唸詩經，但是那些活動都鎮不住荷爾蒙暴民。心靈空虛時我們追求異性，在這個男無分、女無歸、男女不明的城市，大部分男人都在想同一件事情：要嘛我要娶一個富家女，得到全世界的權力；不然就累積性伴侶，到處占女人便宜。這種想法讓台北變成一個求愛叢林，每個男人都想當 Lion King。

　　這當然是不可能的事情。台北男人依道行可以分成三類，第一類是像我們這樣的蒼蠅。蒼蠅戴眼鏡、165 到 170、第一次性經驗是在成功嶺，然而當時並沒有人來探親。蒼蠅基本上沒什麼野心，只是在找媽媽的替代品。對女人我們只敢繞圈飛行，發出嗡嗡的噪音，不咬人不吸血，卻怎樣都揮之不去。我們在派對看到心動的女子，通常沒勇氣直接問她的手機。整晚不敢和她接近，結束後又恨天下無不散的筵席。回家後跟主辦人打聽，特別強調是別人委託你。調查的內容相當徹底，年齡星座有無男友是基本資訊，不過最希望聽到的是她有貧血等毛病需要特別照應。

　　聯絡上後最常做的是溫馨接送情。車內裝上芳香劑，新

買的音響可以裝 10 片 CD。車子定期去洗，後座不再亂丟東
西。我們希望她每天去雲林，可惜她只要到士林。半小時前
就在樓下待命，大白天的車上放莫札特小夜曲。

　　自從有了捷運，這一招變得不靈。我們只好改變服務項
目，搬家、繳費、乾洗、送報、買蛋糕、剝葡萄、修電腦、
對統一發票。我們是司馬昭，但她對我們的情意好像還是不
明瞭。於是我們開始死纏爛打，早上七點打電話告訴妳今天
會下雨，下午三點問妳要不要吃點心，六點說我知道東區開
了一家新餐廳，十一點說衛視在演「鐵達尼」。我們聽不懂女
生的婉拒，真的相信「我待會兒會打電話給你」。甚至當女生開
始用答錄機過濾，我們還以為她沒回電是因為去了洛杉磯。我
們相信努力和收穫成正比，皇天不會辜負有心人的苦心。

　　第二類是鯊魚。他們曾翻雲覆雨，知道性是什麼東西。
他們的目的非常清晰，最後就是要吃掉妳。受害者通常會終
身殘疾，日後對好男人也會過度小心。鯊魚聞血興奮見色動
情，初期是繞著獵物游來游去，中期慢慢露出魚鰭，然後是
「我愛妳」整天掛在嘴裏，最後則是吃葡萄不吐葡萄皮。他們
在派對中主動問妳的姓名，總是能找到藉口讚美妳。哇妳做
電子商務是時代的先驅，哇妳搞土壤肥料真是腳踏實地。回
家後他們會 E-mail 或透過第三者傳達情意，文字一定抄自詩
集或流行歌曲。和蒼蠅相比，鯊魚有膽量和小聰明。妳若沒
反應他會到妳公司門口，碰到妳還大叫嗨妳怎麼也在這裏。
他請妳看電影會說我剛好有招待券，不用掉真的有點可惜。

蒼

蠅・鯊魚・狼

台北是一個求愛叢林，每個男人都想當Lion King。

鯊魚當然不只是詩情畫意，他們也懂適時要買 Gucci。他知道雖然妳很有靈性，一雙好鞋可能還是會讓妳動心。他投下巨額資金，最後回收當然要連本帶利。他會趁妳最寂寞時來按電鈴，那時就是要跟妳把帳算清。妳若說請進請進，半小時後妳就不再是 virgin。他前一秒鐘還在講我了解妳的心情，後一秒已經在脫妳的內衣。鯊魚只顧滿足自己，自然不懂前戲的重要性。他完成後就翻過身去，好像放下了一件沉重的行李。妳叫他他沒有反應，好像妳只是一面牆壁。一覺醒來，他憂鬱地點一支菸，好像全世界都欠他錢。妳問他我們何時再見，他說最近恐怕沒有時間。妳睡著後他偷偷離去，妳可以確定他不會再約妳。日後和別人談起，還會把妳說得很難聽。將來你們在街頭巧遇，他轉過頭立刻跳進一輛 taxi。妳像是一層油漆，他輕易地就用另一種顏色將妳蓋去。

道行最高的是狼。他們有英文名字、戴墨鏡，打扮得像電影明星。他們有車（兩個座位但絕對不是 Smart）、有名（爸爸經常上財訊）、有時間（花半小時吹頭髮四點就去健身房）、知道台北好吃好玩的地方怎麼去。最重要的是他們彬彬有禮、葷腥不忌、攻守有據、處變不驚。小狼們大多集體行動，每人負責約一個明星，包下 pub 角落的包廂，威士忌一開十幾瓶。老狼行事比較隱密，你不會在影劇版讀到他們的消息。他們約會的對象不限台北，而是全球華人社區。約會時從不西裝筆挺，故意 casual 來顯示自信。他們知道西裝會產生距離，而卡其褲可以鬆懈女生的警覺性。他們約會有固

定的程序，沒有蒼蠅的無賴或鯊魚的猴急。第一次約會很規矩，送妳回家的車上還有司機。第二次帶妳到香港血拚，當天來回絕不占妳便宜。第三次的飯店是五星級，碰妳前會徵求妳的同意。如果妳拒絕，他會有禮地鳴金收兵。安靜地送妳回家，只是到了後不會陪妳上去。回家後他不會去想妳拒絕他是什麼原因，他知道明天還有很多人等著取代妳。

　　台北的男人就是這樣填補自己的空虛。有人當然因此找到了終生伴侶，原本是蒼蠅結婚後卻被太太奉為玉皇大帝，原本是鯊魚結婚後卻突然不舉。當然也有人由愛生恨誓不兩立，對電視新聞的情殺案凶手非常同情，在網路上研究如何毀屍滅跡。最慘的是困在水中的蒼蠅或懸在空中的鯊魚。你追得要死要活，她永遠不冷不熱。你心有千言萬語，她永遠是電話答錄機。你已經生死相許，她只要你幫忙搬家具。你說妳是我第一個愛人，她說我早就不是處女。如此肝腦塗地，你還是充滿信心。二十一世紀，寂寞是每個人的隱疾。我愛妳，沒有什麼能代替。

冰箱堅持喝某種牌子的礦泉水，有
沒有汽泡有時會要她們的老命。熨斗熱
情時把你的襯衫燒個大洞，不來電的話
等了半天也沒有蒸氣。洗衣機很直接，
如果有興趣，她會立刻告訴你她的生辰
八字甚至生理周期……

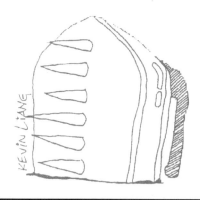

冰箱‧熨斗‧洗衣機

冰箱、熨斗、洗衣機

　　台北的女人分爲三種：冰箱、熨斗、洗衣機。追求她們像使用電器，一不小心就會遭到電擊。

　　讓我們先認識冰箱。她們雖然有令人跌倒的美麗，卻冷酷得讓我們不敢靠近。像冷凍庫內的霜，她們白得令人緊張，原因是小時候豔陽高照的體育課，她們都躲在教室內自習。於是她們考上北一女，台大畢業後留學紐約或洛杉磯。她們聽歌劇、看達利、吃 yogurt、講話時習慣把聲音放低。在滿街檳榔的台灣，她們用具有法文風味的名字，Yvonne、Josephine，每個名字聽起來都像一種化妝品。她們跟人約在只有英文名字的餐廳，堅持喝某種牌子的礦泉水，有沒有汽泡，有時會要她們的老命。她們穿黑色、逛誠品、上健身房、看 Discovery。

　　冰箱有嚴重的貴族情結。她們自己也許沒有顯赫的家世，但美貌、學歷、高薪使她們眼高於頂。要和她們講話，你必須是誰的兒子，或必須認識誰的兒子。如果沒有家世，你必須任職於外商公司，公司還得有民生東路的地址。開口之後，你得有滑溜的英語，知道 investment banking 是什麼東西。如果你口齒不清，她們聽你講話會毫無表情，好像突然得了重聽。如果你台灣國語，兩句後她就開始眼睛游移，對你說 Excuse me。

　　冰箱的優點是表裏如一，熨斗則忽冷忽熱，外表完全無

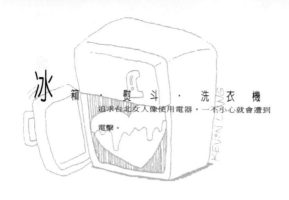

冰箱．熨斗．洗衣機

追求台北女人像使用電器，一不小心就會遭到電擊。

法判定。熱情時，她把你的襯衫燒個大洞，不來電的話，等了半天也沒有蒸氣。她們不像電視，故障時有個訊號，你大概知道出了什麼問題，打開蓋就可以修理。熨斗不高興時只是沉默且堅硬地坐在一旁，你想修都不知道該轉哪裏。

你在派對上遇見熨斗，她們看到你的名片，總會誇張地驚呼：「喔，你也在×××！你認不認識×××？」席間談話，她會專注地看你，同時猛嚼咖哩雞，你搞不清她對你是敷衍還是好奇，你搞不清她點頭是對你還是對雞。KTV中，她可以唱王菲也可以學阿雅，你在一旁讚嘆之際，她會塞過麥克風來要你跟她合唱一曲。「你為什麼都不唱歌？」那麼多人她只問你，你覺得受到特殊待遇。聚會結束後你們交換電話號碼，她說：「打電話給我，哪天我們去看電影。」你真的打給她、留言，她卻不回電話。一個月、二個月，你再試，碰巧找到她。「記得我嗎？」「你是……」你提醒她你們認識的場合，「喔，對不起，我現在在另一個電話上，我待會兒打給你好不好？」這一待會兒又是三個月。一晚你在誠品喝咖啡，突然間有人用報紙打你的背。你回頭，她極度可愛地說：「你怎麼都沒有打電話給我？」你介紹她給你的朋友認識，她和大家交換電話，臨走時又說：「打電話給我，哪天我們去看電影！」

男人最想碰到的是洗衣機。你一身世故污穢，她大方地接受你。你不需用力，她就讓你的世界轉個不停。隨著感情進展，洗衣機還會有各種不同的循環。有時她稍微停一下，

只為了準備下一次更激烈的運轉。

　　洗衣機很直接，不和你玩遊戲。你打電話約她，她會坦白告訴你她有沒有興趣。「對不起，我很忙。」「沒問題，你要約在哪裏？」如果她很忙，你可以確定她會一直忙下去，不可能哪一天又變卦來找你；如果有興趣，她會立刻告訴你她的生辰八字甚至生理周期。吃飯時，她喜歡無預警地用餐巾替你擦嘴，你害羞地低頭，她會挑逗地在桌下踢你。看電影時，她在情節緊張時握住你的手掌，散場後走在街頭仍然不放。上班時，她總是知道在你打瞌睡時打電話來，故意裝你老闆的聲音。睡覺前，她打電話來提醒你第四台正在播的老片，讓你回想起人生中與那些影片有關的美好回憶，讓你覺得蒼蠅也有靈性，因成長而妥協的自己也曾有顆純真的心。

　　但是當衣服太多而夾在一起時，洗衣機也會暫停。這時你打開蓋子，糾纏錯結的衣服一團濕。你爬出洗衣機，像濕衣服一樣，未來三個月不斷滴水，身上彷彿還聞得到像洗衣粉一樣的她的香氣。你納悶著：旋轉的激情怎麼可能停止得這麼徹底？濕淋淋的我要到哪裏去尋找烘乾機？

她們知道點什麼菜、穿何種品牌、
塗哪個顏色的口紅、開胸前第幾顆鈕
釦。挑逗中途會停下來談宇宙的真
諦,甩掉你後又喜歡在會議桌下踢你
的座椅。

高維修女子

高維修女子

我的朋友張寶替我介紹女朋友。

「我追不到她，但你可以試試。她是一名『高維修女子』，照顧她要一天 24 小時。」

「『高維修女子』？」

「她們像一部設計精密、需要時時維修的機器。」

「你是說她體弱多病？」

「我是說她標準很高、要求很多，對於食衣住行有許多規矩，稍微不如意就拿你出氣。她們期望環境和人配合她們，在她們還沒開口前就自動猜測和滿足她們的心意。如果地板太冷，她們要全世界鋪上地毯，也不願自己穿上拖鞋。」

「你講得太玄了。」

「舉個例，早上上班前，你到 7-11 買東西，櫃台前排一大群人，大家都在趕時間，正在付帳的她從店員手中拿回找錢後，會堵在櫃台，大剌剌地把錢放進皮包，還慢慢地整理，好像世界上只有她一個人存在……」

「這種女人你還介紹給我？」

「她十分美麗，看到她你會震碎眼鏡。當她穿著奧黛麗赫本式的黑禮服，你會感動地跪在她腳趾前哭。」

我毫不猶豫地答應赴約。到了木柵捷運站旁的這家餐廳，張寶來了，女主角還沒到。

「她不是要求很多嗎，」我問，「怎麼會選這麼偏僻的餐

高維修女子

當她穿著奧黛麗赫本式的黑禮服，你會感動地
跪在她腳趾前哭。

廳？」

「她住在木柵，拒絕去任何木柵捷運線到不了的地方。」

「你是說……」

「我是說我追她的時候只能約在科技大樓或萬芳醫院，不是談電腦就是看屍體。」

「她不能坐計程車嗎？」

「她討厭計程車司機開車後鎖門、後照鏡下掛佛像、聽台語節目、問她喜歡陳水扁或宋楚瑜。」

侍者送上菜單，我問：「這裏什麼好吃？」

「這裏都很難吃。」

「那我們來幹什麼？」

「因為她只吃西餐？」

「為什麼？」

「她無法忍受一堆人拿著筷子搞一盤菜，她認為那是在吃別人的口水。況且，中餐太油膩，而她和所有美麗的女人一樣，體重永遠不夠輕。對她來說，吃飯就像在床上自己愉悅自己，對健康沒有壞處，但良心上總是過不去。」

三十分鐘過去，她還沒有消息。

「她可能去運動了。她每天下班一定要去健身房，衣服緊得令所有男士慌張。跑步時要看 CNBC，練啞鈴時其實在欣賞鏡中的自己。」

「而且她不吃牛肉，沙拉從不加任何 dressing？」

「沒錯，她的生活像一本保健辭典！但諷刺的是，她髮膠

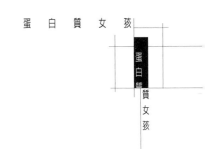

卻用得上癮，她從你身旁走過，你會感覺端出了一桶香水火鍋。」

「這樣的女人再漂亮有什麼用？」

「問題是，她們除了漂亮，還很聰明。我講的不是北一女台大早上進公司先列一張『今日待辦事項』的那種聰明，而是對文明的一種熟悉。她們知道點什麼菜、穿何種品牌、塗哪個顏色的口紅、開胸前第幾顆鈕釦。她們去拍賣會懂得叫價錢，到飯店能夠免費升等到更好的房間。她們在挑逗中途會停下來談宇宙的真諦，甩掉你後又喜歡在會議桌下踢你的座椅。和她們在一起你覺得尊貴，覺得刺激，覺得自己在演電影，覺得周遭有很多眼睛。難怪她們那麼自我中心，因為這其實是她們的世界，我們只是寄居在其中而已。」

我突然有幾個月沒付房租的恐懼。

「不過這種熟悉發展到極端，就成了看盡千奇百怪後的疲憊。對她們來說，純真像小學同學，曾經形影不離，如今不知道也不在乎它住在哪裏。當她在捷運上看到兩名帥哥，我跟你打賭她想到的不是年少時那個附中男生送她的玫瑰花，而是五星飯店裏徹夜的 ménage à trois ——」

這時張寶的行動電話響，他接起，臉色大變。

「她不能來了！」張寶說，「她今晚得打電話到美國，談一個一百萬美元的生意。」

我極度失望，搶過張寶的手機，「她電話幾號？」

「她不會來的！」

高維修女子

當她穿著奧黛麗赫本式的黑禮服，你會感動地跪在她腳趾前哭。

「她電話幾號？」

我撥了號碼，對方立刻接起，我故作低沉說：「妳在哪裏？」

「Richard！我在計程車上，馬上就到凱悅了，你們等我——」

我按掉電話。

「她怎麼說？」

「她以為我是 Richard。她說她在計程車上，馬上就到凱悅了。」

「她騙我！」

張寶憤怒地拿起手機，我攔下他。我們在騙誰？我們這種低等動物，高維修女子怎麼會看在眼裏？

盡責女孩

日月座是獅子和雙魚，同時會講
日文和法語。她善良，生理時期還抱
起大水桶換飲水器的水，沒人注意時
還認真做垃圾分類。她負責，影印機
塞紙時修理到底，洗完便當後水池一
定清理乾淨……

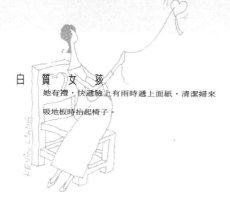

白　質　女　孩

她有禮，快遞臉上有雨時遞上面紙，清潔婦來

吸地板時抬起椅子。

蛋白質女孩

　　上禮拜張寶要介紹給我的女子放鴿子，一個禮拜我難過得什麼都不想吃。

　　「別難過，我認識的好女孩還很多。」

　　「不必了。」

　　「你不要不知好歹，我介紹給你一個『蛋白質女孩』。」

　　「她是營養師？」

　　「她是我同事。她像蛋白質一樣：健康、純淨、營養、圓滿。和她在一起你會長得又高又壯！」

　　「我交女朋友不是要又高又壯。」

　　「你要的是浪漫、激情、冒險、實驗、French kiss、奧林匹克金牌的體操姿勢？」

　　「我沒貪心到奧林匹克金牌的體操姿勢，不過你八九不離十！」

　　「你幾歲？」

　　「三十二。」

　　「不，你二十三歲！因為只有二十三歲那種不成熟的男人才會要那些東西。你記住今天的日期，因為今天我要告訴你一個真理。你要不要去廁所拿衛生紙？因為我保證你聽了後會痛哭流涕。聽著：能給你那些東西的女人，通常在一個月或信用卡刷爆後就會對你失去興趣。那些刺激的女人就像一場精采的馬戲，你可以觀賞但最好不要參與。她們的遊戲屬

於專業領域，你充其量只能做她們的驢。她們每一個動作都是特技，你學不會也玩不起。她們注定要四處遷徙，留給你的只有派對後的杯盤狼藉。」

　　我想起往日那些刺激的女子，她們有紫色眼影和法文名字。初識時她會關心到你的小學老師，第二天就邀你到義大利研究披薩的歷史，一個禮拜後她讓你體驗到人生最快樂的事，一個月後她的行動電話突然沒了電池。你打到她家，她說「我這禮拜很忙」、「我最近在節食」、「我的狗得了近視」、「我的拖鞋少了一隻」，你聽完所有藉口，決定到她公司等她。「妳難道不再愛我了嗎？」你站在她辦公大樓門口外追著她問。她給你一個白眼，「我從來沒有愛過你！」

　　但這還不是真正讓我嘔吐的，真正讓我嘔吐的是：我也這樣對待過別人。那些善良、誠懇、不餓肚子、不繞圈子的健康女子，我要了電話但從來不打，半夜兩點卻不送她回家。她們每次打來我都說很忙，一邊和她們講話還一邊上網。我對她們的關心總是零零散散，把她們的付出當作理所當然。從對她們說謊體會欺騙的快感，用辜負她們作為報復惡女的手段。

　　「介紹蛋白質女孩給我認識！」我以贖罪的心情大叫。

　　我們相約去爬陽明山，張寶和我站在山下的超級商店等她。

　　「不過我得警告你，」張寶說，「她是一個個性很好的女孩！」

　　我立刻了解他的意思，「沒關係，我不注重外表。」

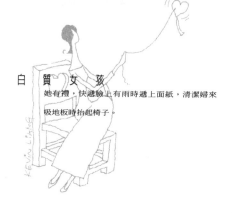

蛋白質女孩

她有禮，快遞臉上有雨時遞上面紙，清潔婦來吸地板時抬起椅子。

KEVIN LIANG

天啊，我在騙誰，男人不注重外表，就像說老虎不嗜肉食。我仰頭喝一口礦泉水。沒關係，我也是靈長類的一員，我可以昇華，可以克制。

「我和她也不是一見鍾情，在一起後才發現她許多優點，」張寶說，「她日月座是獅子和雙魚，同時會講日文和法語。她早起，起床後先跑半小時，吃了麥片才去公司。她賢慧，每天做一打火腿三明治，帶到公司請同事們吃。她有禮，快遞臉上有雨時遞上面紙，清潔婦來吸地時抬起椅子。她準時，和你約會前一天打電話確認，第二天寄卡片謝謝你點的果汁。她純情，愛像宋詞唐詩，意境優美對仗工整；性像阿拉伯文，她知道它的存在卻不懂是什麼意思。她善良，生理時期還抱起大水桶換飲水器的水，沒人注意時還認真做垃圾分類。她負責，影印機塞紙時修理到底，洗完便當後水池一定清理乾淨。她有禮，咀嚼食物時嘴巴從不張開，交叉的雙腿一定用裙子蓋起來。她浪漫，最喜歡的電影是『第凡內早餐』，失戀後可以好幾天不吃飯。她堅強，撞見我在辦公桌上和工讀生親密，她還蹲下來為我撿起地上的筆。她……」

遠遠地，我們看到蛋白質女孩揮手走來。讓她改變我的生命吧，我對上帝說，讓愛不再有礦物質的冰冷、纖維質的粗糙、膽固醇的油膩、鈣質的稀少。讓她走進我營養不良的生命，幫助我長得又壯又高。

比賽完後啦啦隊去更衣室搶他換下
的球衣，巴望在上面收集到他殘留的體
液。他是全美大學的明星QB，想和他上
床的女生可以從這裏排到中壢……

噴射迷

雷　射　頭

有些漂亮女人像內湖：遙遠、隔絕、湖光山色
的外表下是垃圾焚化爐，而且天天整型，四處
大興土木。

雷射頭

　　上禮拜張寶爲我介紹蛋白質女孩，我才明瞭過去活得多
麼悲哀。我第一次感到快樂，像喝了一杯鮮奶：純淨、無
味，但充滿養分，流過每一條靜脈。

　　「我們爬山回來後，她寫了一封信給我！」我向張寶炫耀。

　　「她寫些什麼？」

　　「重點不是她寫些什麼，重點是這年頭還有人寫信！不是
大哥大，不是 E-mail，是一封手寫的信，貼了郵票、封口沾
著黏膠！我看信時可以看到她咬著原子筆，斟酌每一個形容
詞。我可以看到她跑到郵局，爲了讓信早兩個小時到，站在
櫃台用那本頁緣縐摺的本子查我家的郵遞區號。」我歡呼，
「她眞是一個特別的女孩！」

　　「就是因爲她太特別，」張寶拉下我的雙臂，「現在有另
一個人也在追她。」

　　「什麼？」我大叫。

　　「而且還是一個雷射頭！」

　　「『雷射頭』？」

　　「他像雷射一樣精準、快速、銳利、聰明。只要他放出光
束，絕對在千分之一秒內擊中目標。」

　　我當場倒在人行道上，「那他應該去投效國軍，或幫人
矯正視力，跟我搶女朋友幹什麼？」

　　「他是哈佛商學院的 MBA，一家銀行的總經理。」

蛋
白
質
女
孩

「有什麼了不起，我是哈佛幼稚園畢業的，我比他先進哈佛。」

我雖然嘴硬，心情卻跌到谷底。沒想到快樂和絕望的距離是這麼近，近到只有一束雷射光的距離。

「他帥，大學時當過模特兒。」（我大學時當義工清掃過化學廢料。）

「他是運動健將，高中時當過 QB。」

「什麼是 QB？」

「Quarterback。美式足球的四分衛，每次進攻發號施令，決定球傳到哪裏。比賽完後啦啦隊去更衣室搶他換下的球衣，巴望在上面收集到他殘留的體液。他是全美大學的明星 QB，想和他上床的女生可以從這裏排到中壢！」（我在高中時得過 TB，叫肺結核。之後體弱多病，爬一層樓梯就喘得不知褲子拉鏈在哪裏。我似乎散發出一種離心力，想和我上床的人都在火星。）

「他年薪千萬。」（我的薪水大概不夠付他的晚餐。）

「他坐在咖啡廳等人，常用手把濃厚的頭髮往後翻。」（我嘗試同樣的動作，已經稀少的頭髮會再掉一半。）

我反擊，「我讀過阿Q正傳，我相信這些完美的人一定有不可告人的缺陷，譬如說疝氣，因為只有這樣世界才公平。」

「疝氣？你有沒有搞錯，他當模特兒時拍的是內褲廣告！」

雷射頭

有些漂亮女人像內湖：遙遠、隔絕、湖光山色
的外表下是垃圾焚化爐，而且天天整型，四處
大興土木。

「那他有口吃！」

「口吃？他國中參加辯論比賽，打敗過李晶玉。」

「他英文動詞的過去式和過去分詞永遠分不清！」

「他連家裏冰箱上磁鐵吸住的蚵仔麵線食譜都是用英文記
的，我想他處理過去分詞綽綽有餘。」

「那麼……他，他和蛋白質女孩其實有血緣關係！」

「你醒醒吧，這個世界本來就不公平。否則你我何德何
能，哪裏配認識蛋白質女孩？」

沒錯，這是男人的劣根性：當我們因世界不公平而受惠
時，我們絕口不提；當我們吃虧時，我們對列祖列宗罵三字經。

「等一下，」我迴光反照，「如果雷射頭這麼完美，他大
可以去認識模特兒或電影明星，怎麼會看上外表平凡的蛋白
質女孩？」

「他顯然最近大徹大悟，體會到很多漂亮女人都像內湖：
遙遠、隔絕、湖光山色的外表下是垃圾焚化爐，而且天天整
型，四處大興土木。」

「但我也大徹大悟了啊！」

「你怎麼會大徹大悟？你又從來沒認識過漂亮女人！」

「好，也許我悟得沒他那麼徹底，但我先認識蛋白質，我
比他先大徹大悟！」

「比他『先』大徹大悟？這不是小學，先後沒有任何意
義！」

我手中蛋白質女孩的來信垂頭倒下來，此時我只能看到

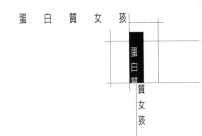

她寫信給雷射頭的樣子。她大概不用站在郵局櫃台前查他家的郵遞區號，雷射頭一定住在仁愛安和或敦化南，總之是106的高級區。

　　我坐在繁忙的街道，原本如鮮奶般的快樂現在染上了戴奧辛，雖然聞不出來，但我也喝不下去。雷射頭 QB，我該如何陷害你？

我知道愛上一個不可能愛你的人的痛苦，就像等第四台來修電視時的那種無助。你和她屬於不同的世界，她坐賓士你擠254，她穿Prada你的鞋兩百八，她說法文你講閩南語，她聽德布西你看布袋戲……

淑女殺手

淑女殺手

上禮拜我發現情敵是雷射頭，便沮喪地開始酗酒。

「你要振作起來，」張寶說，「你還有救，讓我們來設計一個陰謀。」

「陰謀？」

「沒有人會放棄雷射頭而選擇你，」張寶說，「要贏得蛋白質，我們必須混淆她的視聽。」

「譬如說……」

「我們可以造謠說雷射頭是同性戀。」

這裏我必須解釋一個東西。男人與男人之間有一種同胞情誼，一種江湖道義。這種道義的具體表現是一套規矩，這套規矩我們絕不對女人提，因為它是我們在和女性作戰時僅存的武器。這套規矩讓我們在高中時擠在宿舍誇耀彼此第一次的時間，有人肚子大時介紹診所熱心湊錢。大學時，我們蹲在門外讓室友能在屋內愛的初體驗，室友第二個女友來查房時帶她去吃蚵仔煎。當兵時，我們相互告知華西街可以殺到的最低價錢，同事遲歸時騙排長說他吃了不乾淨的海鮮。入社會後，被厲害女人整了在酒精中彼此安慰，把到高難度女子在奸笑後互相讚美。結婚後，對朋友的外遇絕對保密，互相借鑰匙讓對方完成一夜情。這套規矩神聖不可侵犯，讓男人在一無所有後還能保住友情……

「而這套規矩的第一條……」我提醒張寶。

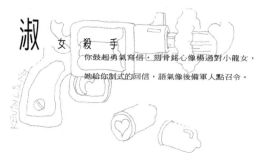

淑女殺手

你鼓起勇氣寫信，刻骨銘心像楊過對小龍女，
她給你制式的回信，語氣像後備軍人點召令。

「不能對別人的性向造謠。」

這條路走不通，我們決定分頭去扒糞。

「他大學考軍訓時作弊！」我們互看一眼，知道這種糞像拉稀。

「他在高中校刊上寫過一篇『也無風雨也無晴』，」張寶說，「大意大概是他回首成長過程的種種苦澀，最後卻覺得是『也無風雨也無晴』。這小子為賦新詞強說愁，簡直噁心得可以。」

「不行不行，像雷射頭這種男人中的男人，唯一可以挑剔的就是心思不夠細密，這個也無什麼的東西正好證明了他可以雄壯也可以纖細，既有雷射頭又有少女心，如果他剛好又喜歡貓咪和 shopping，蛋白質明天就會跟她舉行婚禮！」

我們敗興而歸，第二天張寶興奮地跑來，「我挖到寶了，他是一個『淑女殺手』！」

「他殺過人？」

「淑女殺手的意思是他四處留情，傷了許多女孩的心！特別指那些無意中讓女孩愛上他而自己卻不知道的男人！」

「太好了！」

原諒我情不自禁地高興，這並不表示我不同情那些純情的淑女。我知道愛上一個不可能愛你的人的痛苦，就像等第四台來修電視時的那種無助。她或許是同性、明星、總經理、第一名。你和她屬於不同的世界，她坐賓士你擠 254，她穿 Prada 你的鞋兩百八，她說法文你講閩南語，她聽德布

西你看布袋戲。你遠遠凝望她，她根本沒注意到你。你鼓起勇氣寫信，刻骨銘心像楊過對小龍女，她給你制式的回信，語氣像後備軍人點召令。

「太好了！」我又大叫一次，「如果蛋白質知道他始亂終棄，自然會和他保持距離！」

「三個月前他在朋友聚餐時認識一個在外商公司上班的珍妮，」張寶說，「吃完飯他們去唱KTV，他點任賢齊的『我是一隻魚』，唱到副歌時珍妮為他調到正確的key。之後珍妮唱王菲的『我願意』，他腳踩節拍輕聲地替她合音。『熟悉』的歌聲中珍妮說你長得真像哈林，他矢口否認反指她像伊能靜。離開時他在電梯裏為她拉直衣領，車門關上後他替她解開窄裙。十分鐘後他向凱悅開去，珍妮的同事第二天發現她沒換上衣。兩個月後珍妮坐在一家沒有健保的婦產科大廳，雷射頭的手機門號突然從遠傳換成中華電信。他的祕書對任何來電的女子都說老闆到紐約談生意，但當晚有人明明看到他大步走進『官邸』。」

「混帳東西！」

「更精采的是，」張寶說，「他在『官邸』的女伴是個未成年少女！」

我們立刻聞到血腥，張寶決定去少女工作的百貨公司找她。「銀行家誘拐未成年少女」，這將會是一個多麼詩意的報紙標題！

安娜蘇

　　她長得像變壞了的布蘭妮，卻有宇多田的大眼睛。她直接、熱情、大聲喧嘩、百無禁忌。她不穿內衣、吸過毒品、小腿有刺青、耳環戴在肚臍……

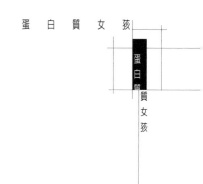

安娜蘇

上禮拜我發現雷射頭在誘拐一名大學女生,便派張寶去找這名女子查證。

「我戀愛了!」第二天張寶對我說。

「她是誰?」

「安娜蘇。」

「安娜酥?」

「她在百貨公司的安娜蘇專櫃工作。」

「安娜酥裏面包什麼?蛋黃嗎?」

「安娜蘇是一種化妝品,擦了後臉像一個布丁。」

「等一等,你愛上了雷射頭在誘拐的大學生?」

「她是雷射頭的妹妹!」

好極了,我極力想陷害的情敵並沒有誘拐少女,而我的軍師卻愛上了幼齒。

「你不能愛上她!她對你來說太年輕。」

「你從來沒有愛過大學生,不懂得青春的美麗。」張寶說,「從小,我們被教著要按步驟、守規矩。情竇初開時,他們要我們考上建中再想女生。考上建中後,他們要我們進入台大再覓佳人。然後是先留學、先拿 Ph.D.、先找工作、先升上經理。曾經有人在植物園等我,我失約回家 K 三民主義。曾經有人從台北大老遠跑到岡山空軍基地,我卻躲在營房準備 GMAT。看著她離去的背影,我咬牙告訴自己:只要

安娜蘇

有一天當她到達性慾的高峰期，你可能已經在選合適的輪椅。

得到功名，愛情會像空氣一樣容易。現在我一切關卡都通過了，突然發現青春像公車過站不停，而我站在人行道上竟完全沒有注意。我的年輕是一連串的手段，只為了達到今日的高薪和一大串用不到的員工福利。我總是在為未來而活，今天永遠是某種過渡時期。功名拿到，愛卻早已睡著，我不再年輕，在日漸稀薄的空氣中感到窒息。昨天我看到安娜蘇，外面下著大雨，我的心卻第一次放晴。她長得像變壞了的布蘭妮，卻有宇多田的大眼睛。她直接、熱情、大聲喧嘩、百無禁忌。她不穿內衣、吸過毒品、小腿有刺青、耳環戴在肚臍。她公開談性，好像只是在介紹化妝品。她第一次見面就親吻我的嘴唇，我感到死而復生！我終於呼吸到新鮮空氣，它讓我從三十多年的沉睡中甦醒。」

「你提前進入中年危機，你需要吃鎮定劑。」

「我不需要鎮定劑，我需要愛情。過去三十多年我活得像木乃伊，早上睜開眼就開始盤算如何逃避。安娜蘇讓我覺得愛情不再遙不可及，愛可以像自來水，打開龍頭就源源不絕。」

「你付不起這種水費。聽著，應付中年危機有更簡單的方法，你可以買一台法拉利。」

「你這個物質的奴隸。」

「張寶，你聽我說，你要理智一點。」

「我不要理智，理智誤了我三十年。」

「理智讓你每個月三十號固定領到薪水。」

「我不稀罕，為了她我可以辭職。我們在討論一起去西藏探險。」

「你不能和她去西藏，你甚至不該跟她去 7-11。」

「為什麼？」

「因為你不能和她在一起。你們的年齡相差太大，不說別的，有一天當她到達性慾的高峰期，你可能已經在選合適的輪椅。」

「她愛我，她不會在意。」

「她愛你，她怎麼可能愛你？她們愛的是日劇，她愛你的程度恐怕還不及金城武賣的手機。」

「你不懂我們的愛，昨天第一次見面她就當眾親吻我，激烈到壓壞了我的眼鏡。我人不帥，又沒有錢，如果不是真愛那是什麼？」

「她只是想跟你玩玩。你是典型的壓抑的中產階級：穿黑襪、坐捷運、為搶到位子而沾沾自喜，把一個月逛一次遠企當成是心靈洗滌。她知道你花半年考慮買哪個廠牌的冷氣，花一年計畫三天的泰國之旅。她知道你吃了一顆巧克力就罪惡地三天不吃早餐，加入健身房卻從來沒時間去。她知道你渴望冒險、刺激，和危險性遊戲。她愛你是要解放你，她把跟你上床當作是一場革命、一種證明。」

「不要說了，你只是妒嫉。」

「好，就算我們不計較她的動機，你難道不在乎別人怎麼看你？」

安 娜 蘇

有一天當她到達性慾的高峰期,你可能已經在
選合適的輪椅。

「我不在乎。伍迪愛倫的太太還不是比他年輕。」

「伍迪愛倫是藝術家,你是銀行經理。」

　　張寶甩掉我向遠方走去,堅定的態度彷彿國父當年要推
翻滿清。我該如何拯救我的好友?我該如何說服他:自來水
也可以致命?

他喜歡空中補給的歌曲，對妳來說空中補給只是做愛的一道程序。他喜歡余光中的鄉愁四韻，妳的鄉愁是兩天沒去台北東區。他穿的夾克樣式像宋楚瑜，妳的衣服清一色是agnes b……

486

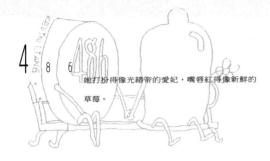

她打扮得像光緒帝的愛妃，嘴唇紅得像新鮮的草莓。

486

上禮拜我發現張寶愛上大學女生，我勸他這是沒有結果的感情。他不聽，我決定直接去找這名少女。

我走到她上班的安娜蘇專櫃，震懾於她年輕的美。她打扮得像光緒帝的愛妃，嘴唇紅得像新鮮的草莓。

「小姐，我可不可以看看那個眼影？」

她對著鏡子試眼影，完全無視於我的存在。

「小姐——」

「我不會離開他的！」

「妳說什麼？」

「你是張寶的朋友，你想勸我離開張寶……，我看過你們的畢業照。」

說完她和同事換班，朝百貨公司地下室的美食街走去。我一路追趕，在她的桌前坐下。

「你們不適合，他老得可以當妳爸爸。」

「我愛他，年齡不是問題。」

「小妹，相信我，年齡永遠是問題。你們的生活完全沒有交集。他喜歡馬龍白蘭度的電影，對妳來說馬龍白蘭度只是人必須減肥的原因。他喜歡空中補給的歌曲，對妳來說空中補給只是做愛的一道程序。他喜歡余光中的鄉愁四韻，妳的鄉愁是兩天沒去台北東區。他穿的夾克樣式像宋楚瑜，妳的衣服清一色是 agnes b。他喜歡吃桃源街的大滷麵，妳只喝水

果味的礦泉水。他喜歡拼裝二次大戰的飛機模型，妳對機械的興趣僅止於 Nokia 的新型手機。他有餘錢通通去買共同基金，妳的薪水全部花在 Hello Kitty。他的偶像是白手起家的王永慶，妳所崇拜的是金髮碧眼的男孩特區。他休假時陪老媽去大陸探親，妳唯一和妳媽講話的機會大概是房租到期。他每晚走在街上尋找的是 LOVE，妳每晚走在街上尋找的是 BCBG。他像植樹節，很少人記得它存在的原因，沒有人把它放在眼裏。妳像耶誕夜，明明是聖潔的時間，狂歡縱慾卻藉它橫行。他人生的目標是——」

「你怎麼沒戴安全帽？」

「安全帽？」

「是啊，因為你沒有安全感，所以才把我們看得如此簡單。我不喜歡 Hello Kitty，也不喜歡男孩特區。我喜歡『岸上風雲』和杜斯妥也夫斯基。我現在努力存錢，希望一年後能買我的第一台相機。兩年後我要去拍西藏和南極的風景，三年後我要去紐約視覺藝術學院拿一個攝影的 degree。當然這些對你來說沒有任何意義，在你的世界，這些都是功課不好的人搞的玩意。」

我確實吃了一驚，當妳有那樣的臉蛋和身材，通常妳不用計畫周末以外的事情。「好極了，那妳應該好好追求妳的理想，何必為愛情分心？」

「分心？你年紀大我一倍，對愛了解不及我的二分之一。對你來說，愛是第四台節目螢幕旁跑過的字，是一種分心，

她打扮得像光緒帝的愛妃，嘴唇紅得像新鮮的草莓。

不是主體。是一種額外資訊，不是壓軸好戲。是一種調劑，可以選擇使用的地點和日期。是一種演習，程序繁複但沒有血肉痕跡。是一種點滴，慢慢流過沒有劇烈的反應。是一種日記，適合回憶但不能履行。你坐在家裏，讀幾本珍奧斯丁，租兩部法國電影，就以為自己懂得愛情，你懂個屁！我告訴你愛是什麼。愛是一場即興劇，台詞不順但充滿驚喜。愛是一場大雨，來去匆匆你毫無走避的餘地。愛像『搶救雷恩大兵』，生與死不憑技巧只看運氣。愛像一場車禍，剎那發生追究不清原因。愛像照胃鏡，痛苦不堪但完整徹底。愛像這個……」

她拿出一顆藥，放在我眼前，「你知道 486 是什麼？」

「一種舊式的微處理器？」

她吞下藥，「RU486 是口服墮胎藥。」

我張大眼睛，她喝水將藥沖下，我立刻抓到把柄，「虧妳還好意思告訴我愛是什麼，妳和張寶只是性而已！」

她不屑地站起來走開，我跟上去，她說：「你根本沒聽懂我的話。我已經告訴你愛無法準備、無法預期，性當然也是同樣道理。你以為性和愛是兩種東西，發生有固定的程序，像吃荔枝要先剝皮？視窗 98 之前一定是 97？那樣的愛無從著力，那樣的性只是升旗典禮。真正的愛與性是同一樣東西，像一顆籃球，前後只看你從哪個角度看而已。」

我雖明知她在強辭奪理，一時卻不知如何反駁，我使出最後絕招，「張寶已經有女友了！」

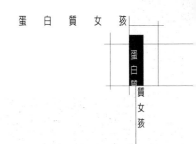

她停下，「是誰？」

「她……她……她是他銀行的同事，她是一個蛋白質女孩。」

她笑一笑，「另一個 MBA？哼，我知道這種女人，典型的中產階級，拿到信用卡的帳單立刻付清，半年前就開始等待三天的連續假期。爲 TVBS 又開始播艾莉的異想世界而高興不已，整天讀 EQ 的書卻沒摸過男人的鬍鬚。上班唯一的樂趣是把笑話 forward 給陌生人，下班唱 KTV 永遠點同一首歌曲。張寶會愛上她？我不信！」

我不但沒有說服她離開張寶，她的話反而讓我懷疑起我和蛋白質的感情。蛋白質眞的這麼平淡？我對愛情眞的這麼懶散？她在追求激情浪漫，我只要長治久安？張寶解放了，那我呢？

她溫柔善良、賢慧端莊，我仰慕她，想頒給她一張獎狀，我充滿敬意，接吻途中想拉起褲子跟她行禮。我不能和我仰慕的對象發生親密關係……

百分之十的肉體

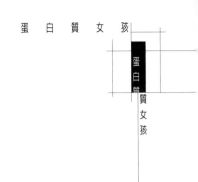

百分之十的肉體

　　上禮拜我去找張寶的大學生女友，她充滿生命力，不但讓我不再反對他們的戀情，也讓我開始懷疑我的蛋白質女孩是否因太過完美而缺少人氣。

　　「電影裏那些天使不是都自願下凡到人間體驗喜怒哀樂生老病死，因為那才叫真正活著。蛋白質是一個還留在天堂的天使，永遠微笑，永遠好脾氣，永遠在對不起，永遠記得吃維他命 C。和她在一起我覺得在演戲，活得完全不見底。」

　　張寶說：「我不知道你在說什麼，我只知道她是一個好女孩，辜負了她你可以下地獄。」

　　我決定約蛋白質出來，激發她醜惡的人性。為了激怒她，我告訴她我在暗中陷害雷射頭。她竟然倒在我懷裏，眼睛眯得像陳蘭麗，「在你和雷射頭之間，我永遠會選擇你。」

　　「為什麼？我又瘦又矮又不帥，信用卡的帳永遠付不出來。」

　　「你有幽默感。」

　　「我？我最喜歡的電影是柏格曼的『第七封印』，看『哈啦瑪莉』的反應像在看『搶救雷恩大兵』。」

　　「我愛你只有一個原因：因為你是你！」

　　剎那間天堂大開，溫暖的陽光射下來。當你經過多年的被拒絕，你慢慢忘記愛這個字該怎麼寫。你開始相信愛情是貴族的特權，而自己生來貧賤。你開始相信愛情是一種生

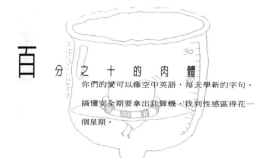

百

意，有成交的條件和行情。你不再相信自己，只相信手中握有的資金。你拚命賺錢、努力成名，社會地位一點一滴地累積。你好像在說：你不愛我沒關係，你可以愛我擁有的東西。你不再記得多年以前的夏季，隔壁班女生假裝來問你數學習題，那時你的青春痘像數字一樣沒有止盡，成績是班上的五十四名。你不再記得你曾和兩百多人擠在一個小房間補習，那個中山的女生突然轉過頭來看你，下課後她朋友來問你朋友，約你到她們學校看『甘地』。你不記得愛曾經是沒有條件、不合邏輯，唯心唯性的一種東西。我愛你，因為你是你。

我抱著感恩的心向蛋白質靠近。她打開我的鈕釦，我拿掉她的眼鏡。她收起我的鋼筆，我關掉她的手機。她解開我的皮帶，我摸到她的⋯⋯

「然後呢？」第二天張寶問。

「然後我發現我不能繼續。」

「為什麼？」

「因為她是一個聖女！」

「聖女又怎樣？」

「她溫柔善良、賢慧端莊，我仰慕她，想頒給她一張獎狀，我充滿敬意，接吻途中想拉起褲子跟她行禮。我不能和我仰慕的對象發生親密關係！」

「為什麼？」

「因為沒有墮落的快感。」

「什麼？」

「性是一種心理遊戲，當你心中有墮落，有自棄，有壞念頭，有罪惡感，性才會圓滿。這就是為什麼有人喜歡在公共場所胡來，因為被發現的恐懼讓他們感到刺激。昨晚當我和蛋白質在一起，我感覺自己在參加國慶升旗，一切是那麼純淨、正義，我完全沒有任何色情的情緒。」

「你需要看心理醫生。照你這種理論，只有連環殺手才是理想情人。」

「也許不用到連環殺手的程度，但至少不可以是循規蹈矩的好女生。」

張寶要反駁，我說：「想想你喜歡的安娜蘇……」

他無言以對。

「所以我說，性是百分之百的心理……」

我們同時回憶起僅有的幾次經驗，然後我自動修正，「好吧，也許有百分之十是肉體。」

第二天蛋白質打電話給我，我沒有回。她又打了三天，我告訴自己加班加得很累。

「你這個蠢蛋！」張寶罵我，「蛋白質在台灣教育體制下成長，當然不可能像唐朝女子那樣豪放。她們高中不能留頭髮，大學十點前得趕回家。牽手就要驗孕，接吻就要結婚。但就因為她如此純真，愛她才有無限可能。你們的愛可以像空中英語，每天學新的字句。搞懂安全期要拿出計算機，找到性感區得花一個星期。提前結束你會說對不起，毫無感覺她仍然說沒關係。這樣的愛才具有想像力，這樣的性才可能

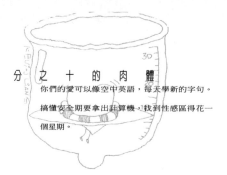

百

分 之 十 的 肉 體

你們的愛可以像空中英語，每天學新的字句。

搞懂安全期要拿出計算機，找到性感區得花一
個星期。

有續集。如果今天你跟潘金蓮在一起，一個晚上她就秀出所
有絕技。你們的關係只會像一部電影，那兩小時很刺激，散
場後你不會有再看的興趣。」

「你講得也有道理。天啊，我迷惑了，我不知道我出了什
麼問題。」

「你的問題很普遍，你和很多男人一樣：賤！」

他的直接將我點醒！沒錯，女人是複雜的動物，男人都
是豬。我們費盡心思追求的東西，到手後卻棄如敝屣。不再
擁有的感情，突然間都變成黃金。是，不再擁有的感情……

我立刻打電話給蛋白質。

她媽媽說她跟男朋友出去了……

艾薩克西莫夫

在一個遙遠的星球，星星一千年
只出現一次。當它們出現時，那景致
太過美麗，全星球的人都發了瘋……

艾
薩 愛 西 莫 夫
她的嘴唇發光，像誘導的燈塔。她的腿長，適
於緊急迫降。

艾薩愛西莫夫

上禮拜我未曾珍惜的蛋白質女孩變成別人的女友，為了
麻醉自己，我和張寶跑到台北最大的舞廳。

我一走進，艾薩愛西莫夫就發生了。

「『艾薩愛西莫夫』？」張寶問。

「艾薩愛西莫夫是美國科幻小說家。他有一個短篇叫
『夜』，講在一個遙遠的星球，星星一千年只出現一次。當它
們出現時，那景致太過美麗，全星球的人都發了瘋……」我
邊說，邊指著吧台旁身材弧度像北斗七星的女人，「那就是
一千年只出現一次的星星！」

張寶搖頭笑笑，「三十乘以九等於多少？」

「兩百七。」

「你能追到她，就像你能活到兩百七十歲的機率。」

我們看著一名美女。唉，美女，多麼貧乏的字眼，好像
稱鯨魚為魚，不合邏輯，只是突顯了我們缺乏想像力。她獨
自站在那裏，自成一個星系。一群男人環繞著她，彷彿人造
衛星。她冷默，沒有人敢上，好像知道她的大氣層缺氧。她
好身材，沒有人敢多看，怕褲子突然變小不能穿。她的嘴唇
發光，像誘導的燈塔。她的腿長，適於緊急迫降。

「她和我們不屬於同一聯盟。」張寶說。

「聯盟？」

「每一種職業運動都有聯盟，實力相同或地域接近的球隊

分在同一聯盟。愛情也是。你想不想認識蕭薔？當然想，但她一件衣服抵得上我們一年的房租，所以她和我們不屬於同一聯盟。吧台旁的女人，不但和我們不同聯盟，她根本和我們是不同的運動！」

「我的愛能飛越聯盟！」

「你的愛爬都爬不動。這就是你交不到女朋友的原因，你自不量力，精神都耗費在無謂的期望和傷心。幻想那些遙不可及的女人，你的心會痛得像被狗啃。你要相信，那些女人拒絕的不是你，而是你的階級。」

「你乾脆一次告訴我，哪些女人和我們不屬於同一聯盟。」

「在以英文名字互稱的公司上班的女人、公司有『助理副總裁』這種頭銜的女人、辦公室在二十樓以上的女人、用『Project』這個字眼來描述手邊工作的女人、迷戀財務槓桿或其他大型槓桿的女人、懂得『台股期指』和『殖利率』到底是什麼東西的女人、義大利字知道得比英文字多的女人、頭髮挑染成紅棕色的女人、去香港的頻率超過去萬華的女人、因為認真而美麗的女人、e-PHONE 廣告中的女人、日常對話中會用到『宰制』、『父權』，或『後殖民論述』等字眼的女人、穿黑色內衣的女人、戴紫色墨鏡的女人、家裏有兩面鏡子以上的女人、有行動電話卻從不開機的女人、去過瑞士的女人、會咬著一根紅玫瑰跳探戈的女人、吹長笛或彈鋼琴的女人，還有任何知道S&M不代表Sales & Marketing 的女人。」

「照你這樣講，這世上和我們同一聯盟的女人只剩下我阿媽。」

「或許再加上我們公司倒垃圾的歐巴桑。」

「你怎麼這麼沒自信？」我教訓張寶，「好歹我們也大專畢業，混過美國的野雞大學。現在的薪水雖然不高，至少有年假和勞保。吧台旁那個女人雖然漂亮，但智力也許還停留在麗嬰房，她沒通過托福的聽力測驗，出國通常是兩周而不是兩年。她以為杜斯妥也夫斯基是一種家禽，托爾斯泰是一家泰國餐廳。她以為梵谷是一個地方，塞尚通常用來灌腸。」

「梵谷不是一個地方？」

「你要相信：文化讓我們有氣質，學歷讓我們有魅力。」

「你怎麼這麼迂腐？」張寶說，「這不是台大同學會，誰在乎你畢業後又拿到什麼學位？你如果上去跟她搭訕，她不問你的學歷，只看你的 Porsche。你如果帶她回家，她不看你的獎狀，只問你的銀行。」

「我就不信。」說完我正要走過去。

「你完全沒有成長。弱水三千，你要飲掉一缸。出身貧賤，偏偏要學辜仲諒。你難道不記得我們是高維修女子的手下敗將，發誓從此要追求善良而不是胸腔？你現在又去找這種火山爆發型的女人，想靠她的岩漿讓自己解渴清涼。你知道她永遠不會和你捲起袖子拼裝 IKEA，下班後趕到醫院探望你媽。你永遠不可能請她吃貢丸湯、十五塊的蛋餅就讓她高興一早上。」

「我知道我們的差異，但是愛可以讓我們合為一體。」

「你明明知道她不可能愛你，勉強和你在一起也只有性和shopping。你永遠都會懷疑她愛你的動機，每一天都在緊張你的幸運會突然到期。當她在你身邊時你不准她接手機，她談起別的男人你就認定他們有曖昧關係。她不在時你覺得她和別的男人在一起，到她家時會仔細尋找不是自己的男性內衣。於是你步步進逼，一定要她每天說愛你愛你。半小時查一次勤，她每天下班你都說『我送妳』。最後她終於承受不住壓力，不願再與你的不安全感為敵。」

我同意張寶的每一句話，但我的腳卻一步步走向她。我有一百個不要和她搭訕的理由，但此時我唯一能想到的是她能把我變成野獸。當星星出現時，那景致太過美麗，全星球的人都瘋了。

有些事情是浪漫的殺手。接吻時聞
到對方的口臭，愛撫時摸到胸前的腫
瘤。親她手指舔到指甲裏的污垢，說
我愛妳時她背後癢一直在摳。激動時
她呻吟的法文你聽不懂，緊要關頭你
的手機來電震動……

浪漫殺手

浪漫殺手

上禮拜我在舞廳看到一名火山美女，不顧張寶的勸告，我上去和她搭訕。十分鐘後，我回到張寶身旁，他幸災樂禍地說：「我不是告訴你，那樣的女人只看得上金城武或王永慶，以你的外形和財力，甚至不配當她的計程車司機。」

「她的名字叫 Tracy。」

「她把名字告訴你？」

「我還知道她在花旗，公司的電話是 23836341。她是一名財務經理，畢業於台大外文系。碩士在威斯康辛，在留學生圈子是有名的味精美女——」

「味精美女？」

「很多男人為了追她，假裝到她家借味精。她善良溫暖，主動約男生聊天吃飯。她體貼周到，過年送同事自己做的年糕。」

「等一等，你是說在魔鬼的身材下，她其實是個蛋白質女孩？」

「豈止是蛋白質，她簡直是靈芝！」

張寶開始氣喘，我一身冷汗。多少年來，我們掙扎於兩極化的世界觀：漂亮的女人不聰明、聰明的女人不漂亮、漂亮又聰明的女人不善良、漂亮聰明又善良的女人有獨特的性向、漂亮聰明又善良的異性戀女子不會看上我們這種蒼蠅王。所以我等蠅輩必須在肉體和心靈間抉擇：一條毒蛇，或

浪漫殺手

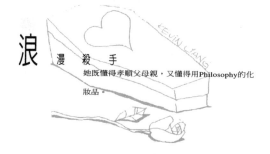

她既懂得孝順父母親，又懂得用Philosophy的化妝品。

是一支百合；一分鐘的過癮，或是一輩子的溫馨。就在我們猶豫不決時，漂亮的、聰明的、不漂亮的、不聰明的，統統離我們遠去。我們大概也年屆五十，拿起電話唯一能撥的只剩下0204。」

「她是一切的答案，是上帝存在的證明！」張寶讚嘆。

「她約我明天去日月潭。」

「她約你？」

「我拒絕了。」

「你……」

「我不能和她在一起。」

「為什麼？」

「因為她講台灣國語。」

有些事情是浪漫的殺手。燭光晚餐時撞見她前任男友，倒紅酒時酒杯一直在漏。挑逗她時她說你長得像我舅舅，送她回家車子在半路漏油。在她陽台下唱歌吵醒鄰居的狗，帶她回家過夜發現遭了小偷。走進臥房滿地的襪子沒收，脫掉衣服看到她肚子上有一個傷口。接吻時聞到對方的口臭，愛撫時摸到胸前的腫瘤。親她手指舔到指甲裏的污垢，說我愛妳時她背後癢一直在搔。寬衣後發現大腿下的肉像球，開始後你後悔平常的運動不夠。激動時她呻吟的法文你聽不懂，緊要關頭你的手機來電震動。延長比賽你突然覺得肚子痛，還沒結束她轉頭看牆上的鐘。開燈後她看到你的床頭有針孔，沖澡時你發現保險套上有個洞。她大號後才發現馬桶不

通，你去清理時發現裏面有寄生蟲。

「台灣國語也是一種浪漫殺手。」

「她這麼年輕，國語會差到哪去？」

「她對我說『窩愛里，拜弊！』」

「什麼意思？」

「『我愛你，baby！』」

「所以基本上所有的甜言蜜語都變成……」

「猜謎遊戲！」

「你現在面臨一個抉擇，」張寶鄭重聲明，「她是你這輩子和下輩子所能碰到最好的女人。她美麗、性感、聰明、熱情。她有蛋白質的心地，又有高維修的外形。她既懂得孝順父母親，又懂得用 Philosophy 的化妝品。她唯一的缺點是台灣國語。你難道要爲這一點小問題而放棄終身幸福的可能性？想想看，你算老幾，能遇到她已經是你的福氣，正常狀態下你只配當她鞋底黏著的髒東西！」

我知道張寶講的有道理。所有單身男子都有一種劣根性：我們自己雖然有隱疾，卻總是在等待完美女人的來臨。眼前的愛人永遠不值得我們終身相許，因爲我們愛的其實只有自己。

「語言在生活中的重要性其實很低，」張寶勸我，「人生最快樂的三件事：吃飯、睡覺、親密關係，其實都不用開口……」

我正在想有沒有道理，張寶立刻修正自己，「就算開

浪

口，也不用發出聲音。」

　　張寶補充，「幸福的關鍵不在於找到一個完美的人，而在找到任何一個人，然後和她一起努力建立一個完美的關係。戀愛不是在買肥皂洗髮精，你可以指定某種品牌，打開包裝立刻用得愉快。戀愛的人應該像園丁，種子握在手裏，開出什麼花完全看你付出的心力。」

　　我明知這是張寶從勵志書上抄來的狗屁，午夜兩點的此時卻也令我心有戚戚。我看著舞廳另一角落的火山美女，她燦爛的笑容像一顆劃過的流星。我拿出手機，按下她的手機號碼，鈴聲響起，是的，Tracy，不完美讓我們更努力，讓妳的台灣國語變成我的靡靡之音。

那些宣稱沒有找到幸福的人，只是沒有了解幸福的真諦，明明已經走進幸福的門，還在抱怨裏面的冷氣不冷。他們牽著懷孕太太的手，卻在注意噴火女郎的乳溝。孩子第一次開口叫他爸爸，他還在想明天要不要給情婦送花⋯⋯

因為我值得

因為我值得

上禮拜我在舞廳認識台灣國語，第二天我約她出去。我
們在麥當勞買奶昔，我拿過發票，她記得把吸管放進去。

「我愛她的細心，」第二天我告訴張寶，「我約她時怕被
拒絕，她故意說已經等了我半個月。我在她公司樓下等她，
她遲到一分鐘就撥我行動電話。她出現時親吻我送的花，騙
我說我看起來很瀟灑。我問她想去哪裏吃飯，她說去你最喜
歡的那一家。晚餐時我想點炸醬麵，她勸我不要吃得太鹹。
走進戲院之前，她問我要不要去洗手間。散場出來之後，她
堅持要給我票錢。回到她的房間，她給我看小學的照片。午
夜兩點我們告別，她說下次要留晚一點。送我上計程車，她
叮嚀說到家後立刻來電。跟她在一起我覺得輕鬆，眼前沒有
任何觀眾。和別的女人出去我像在辦活動，每個步驟總是遲
兩分鐘。」

「你終於找到你的最愛，你一定覺得很快樂。」

「一點也不。我沒伴慣了，總覺得一個人的悲慘是生活常
態。現在我終於快樂起來，卻擔心不久後就會有更大的災
難。它將把台灣國語帶走，我的生命會像破掉的汽球。禮拜
一晚上在公司加班，禮拜二晚上在桃源街點一顆滷蛋，禮拜
三晚上在公車上睡著坐過站，禮拜四晚上獨自在吧台喝龍舌
蘭，禮拜五晚上看電影碰到客滿，禮拜六晚上錄影帶租到盜
版，禮拜天晚上一件件熨下禮拜的襯衫，禮拜一晚上再開始
加班。我將會回到沒有愛的日子，只是這一次我曾經滄海，

對於孤單將更難忍耐。」

「你怎麼這麼悲觀？你要相信你已經到達終站，今天的快樂將會永遠與你同在。」

「為什麼？我這輩子沒做過善事，我不配得到快樂。」

「因為 L'Oreal。」

「因為沒人要？」

「你快樂，因為你值得。快樂是一種人權，你不需以善事來交換。幸福是一種空氣，任你自由呼吸。那些宣稱沒有找到幸福的人，只是沒有了解幸福的真諦，明明已經走進幸福的門，還在抱怨裏面的冷氣不冷。他們牽著懷孕太太的手，卻在注意噴火女郎的乳溝。孩子第一次開口叫他爸爸，他還在想明天要不要給情婦送花。」

「他們身在福中不知福，但我是害怕今天的幸福明天就會變成痛苦。」

「明天的事你無法預料，擔心它只會讓你的血壓升高。明天你的玻璃杯也許突然起毛，美國也許決定和我們建交。台灣國語也許不再愛你，但你和另一名美女被困在停電的電梯。你唯一能做的是多吃青菜、台積電盡量買、有機會多做愛，別太早有小孩。你唯一能做的是把握現在。」

「所以我應該輕鬆享受這一切？」

「你該享受，但不能輕鬆。快樂需要經營、需要培育、需要用力吸。你昨天帶台灣國語去哪裏？」

「我們去吃飯，然後看電影。」

「有沒有送她花，說了什麼情話？」

因為我值得

快樂是一種人權，你不需以善事來交換。幸福
是一種空氣，任你自由呼吸。

「感情何需言傳，我只是含情默默地看著她。」

「放你狗屁。你含情默默地看著她，她以爲你眼睛進了
沙。感情當然要言傳、要口傳、要用到身體每一個器官。你
們還在一見鍾情的階段，你看上她身體的比例，她看上你處
男的拘謹，你喜歡她一些獨特的表情，她喜歡摘掉你厚重的
眼鏡。你想這能維持多久？不久後她將發現你襪子一穿三
天、有時候一星期沒有大便。你會發現她的背上長癬、換內
衣時不拉窗簾。當一起生活的磨擦慢慢出現，你們初識的好
感還能維持幾天？」

「那我怎麼辦？」

「你們要培養一致的興趣、搜集共同的話題、溝通每一種
情緒、發脾氣前先想如果我是你。你們要設法讓兩人的生活
合而爲一，這樣就不會有挑剔對方的餘地。」

我想起過去每一段失敗的感情，都因爲我只想到自己。
她們只是我向朋友炫耀的話題，心神俱疲時急救的點滴。忍
受我不時的孩子脾氣，幫助我自己寵壞自己。我何曾想過她
們的快樂在哪裏？何曾想過她們也有帳單和老闆、貸款和胃
酸，她們也有挫折等著疏散、情緒等著分擔。我對幸福充滿
不安全感，因爲自私的幸福無法循環。只有當幸福的來源是
讓別人快樂，它才可能在不穩定的世界中源源不斷。

我轉頭向台灣國語的家跑去，我第一次了解到愛裏面不
一定要有自己。此時我多麼想知道她愛看哪個連續劇、喜歡
吃什麼東西、失眠時聽哪首歌曲、身體哪些部位是性感區。
我要讓她快樂，高潮時叫我哥哥；我要讓她幸福，因爲我值得。

年輕 MBA 俱樂部

她們濃情蜜意，但不會半夜跑來哭哭啼啼。她們主動積極，但不會兩天不見就開始跟蹤你。你可以予取予求，她們也不會要求做你女朋友。你可以花天酒地，她們也不會一直打你手機……

年輕 MBA 俱樂部

上禮拜我愛上台灣國語，上上禮拜張寶愛上安娜蘇，因為各自有了感情依歸，我們一個禮拜沒有聚會。星期六下午，張寶急忙跑來找我。

「糟了，老闆叫我去參加『年輕 MBA 俱樂部』的聚會！」

「什麼俱樂部？」

「『年輕 MBA 俱樂部』，會員都是剛畢業的 MBA 。」

「這個聚會在幹什麼，討論財經大計？」

「其實比較像『非常男女』。」

我早已耳聞這個組織，申請加入卻被拒絕了好幾次。聚會通常由某外商發起，獲邀的公司都在台北東區。你的公司必須有漂亮的英文縮寫，BOA 和 ABN 最受歡迎。五男五女在凱悅喝下午茶，表面交誼暗中是集團相親。這種交往有極高的成功率，因為大家背景相同都考過 GMAT。女生都是異想世界裏的艾莉，精明能幹但感情生活極度空虛。男生都打扮得像瑞奇馬丁，香水濃到令人想戴防毒面具。下午茶若喝得對味，晚飯後可以再來一杯。那杯若再喝得對嘴，晚一點再一起去錢櫃。第二天早上通常宿醉，睜開眼的第一句話是「你是誰？」

「你怎麼知道得這麼清楚？」張寶問。

「我當過『備援族』。」

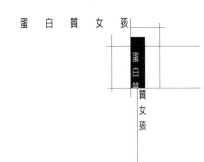
「什麼族？」

「星期六下午見面，來電的可以 party 到第二天，不來電就必須速戰速決。這時某男士，比如說 Michael，會假裝去上廁所，其實是在馬桶上打電話給『備援族』。我會在他回到席間十分鐘後打他手機……」

「喂，Michael 在嗎？」

「嘿，是你。」

「Michael，晚上我要搬家，拜託來幫忙。」（搬家？我甚至懶得離開我的臥房。）

「今天晚上？」Michael 故意把聲音放大，「不行哎，我和朋友在一起。」

「拜託拜託，我家具一大堆，一個人搬不動。」（我只有一只皮箱和一個鐘。）

「晚上真的不行，我和朋友約好了。」

「你不幫我搬，我就要自殺。」（顯然我看多了八點檔。）

「好好好，我試著跟朋友解釋一下，」Michael 搖頭，「唉，你真讓我為難。」

我掛電話，Michael 說：「對不起，各位小姐，我朋友臨時需要我幫忙，我得先走了，我們再聯絡！」（翻譯：我們不會再有往來，祝妳們一生愉快。）

聽到這裏張寶搖頭，「豬哥男人一欄，原來你是共犯。」

「我只當過一次而已，大部分的聚會都到深夜才散。」

「所以來電的次數還頗為頻繁。」

年輕 M B A 俱 樂 部

女生精明能幹但感情生活極度空虛。男生香水
濃到令人想戴防毒面具。

「因為主辦人找的都是『九頭身』美女。」

「她們有九個頭？」

「她們頭和身體的比例是一比九。」

我們無言以對，各自閉上眼幻想那雙美腿。

「不知為什麼，」我先清醒過來，「漂亮女人對在銀行工作的男人特別有興趣。男人對她們也十分來電，因為她們爽口而不黏。」

「『爽口而不黏』？」張寶皺眉，「你又不在那個圈圈，行話怎麼這麼熟練？」

「她們濃情蜜意，但不會半夜跑來哭哭啼啼。她們主動積極，但不會兩天不見就開始跟蹤你。你可以予取予求，她們也不會要求做你女朋友。你可以花天酒地，她們也不會一直打你手機。有一天你變心，她們不會用懷孕來留住你。有一天她變心，搬走時會把你家收拾乾淨。」

「天啊，這些男人簡直把女人當家具。」張寶嚴加斥責，我同聲附和，我們心裏卻同時在想這樣的好女人在哪裏。

張寶說：「這樣的女人就在凱悅 lobby，老闆的命令我不得不去。」

當你想要背叛愛人，藉口總是來得容易。我看著張寶走向信義計畫區，他和安娜蘇的誓言已被調降了利率。他回頭看我，「你是我的『備援族』，我五點打電話給你。」

「一定！」

是的，豬哥男人泛濫，都靠我推波助瀾。

你們的床將異常擁擠，兩個人睡有三個人的體積。你永遠無法戰勝你的情敵，有血有肉的你怎麼比得上一段美好的回憶……

膠板球情人

籃板球情人

上禮拜張寶去參加年輕 MBA 俱樂部的聚會，我和台灣國語度過快樂的一天。

「我必須和台灣國語分手。」第二天我對張寶說。

「你瘋了？」

「我是她的籃板球情人。」

你碰到一個好女人，你明知自己不符她的標準，但你愛上了她。她看著你，明知你沒有外貌或才能，卻和你互託終身。你慶幸自己的狗運，菩薩廟還願跑得很勤。別人看你們兩個出去，感嘆鮮花真的插到牛糞裏。你知道這世上沒有公理，但你占到便宜便沒有抗議。有了她你別無所求，不再每半個小時從外面打電話回家聽答錄機。你改掉了多年的壞脾氣，內衣也開始每星期固定去洗。襪子不再丟得滿地，以防她突然來到家裏。一個月後，星期六的早上你到她家接她去踏青，電鈴按了半天沒有反應。你拿出她給你的鑰匙開門進去，走過凌亂的客廳。然後看到她坐在馬桶上，手裏拿著舊情人的照片哭泣。

「原來這一個月她愛的不是你，她只是要藉你把另一個人忘記！」

「是的，而我和那個人有如天堂和地獄，和我在一起要忘掉他非常容易。」

「你看了他的照片？」

「他風度翩翩，我鼻子扁扁。他肌肉發達，我肚子很大。他是哈佛大學的 Ph.D.，我 32 歲還在美加補習。他是跨國企業的總經理，我的工作內容包括倒垃圾和拖地。他周末帶她去巴黎，我只有錢陪她回中壢。她生日他送 Tiffany，我買得起的只有 Hello Kitty。」

「原來她投籃不中，你是籃板球，興高采烈地彈來彈去，其實只是在陪她度過過渡時期。等她帶過半場，養足元氣，下次再出手就會命中紅心。到時候她會換電話，讓你覺得試圖找她是自討沒趣。她會寄掛號信，退回所有你送她的東西。她會白天打電話到你家裏的答錄機，留言說因為愛你所以要離開你。」

「但她曾說她真的愛我。」我自我安慰。

「好吧，那她也許真的愛你，別忘了，愛是沒有道理的東西。」

「不可能，」我立刻否定自己，「外在條件我和那男的相差十萬八千里，內在更是望塵莫及。他追她的時候他在高雄當兵，她每周日上午要去做禮拜，他徹夜從高雄開車上台北，只為了清早能把她從大直送到士林。」

「而你約完會連陪女生從誠品走到 216 巷都不願意。」

「他當完兵後回台北，當時有許多人在追她，為了和她接近，他和她的鄰居交換公寓。他用自己在安和路的四房兩廳，換來的套房只有 5 坪。有一次她生病，他去她家清理四處的鼻涕，她一個噴嚏打在他臉上，他笑說妳的痰裏還有克莉絲汀迪奧的『Remember Me』。她吐在他新買的 Armani，

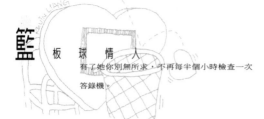

他說好極了這樣我上班時還可以聞到妳。」

「而你的女友在臥房打噴嚏，你在客廳都忍住不呼吸。」

「他們認識周年慶那天，她住院開刀。他沒有送她鮮花或巧克力，而是捲起袖子為她輸血 500c.c.。她醒來時他親吻她的額頭，說這樣我們就可以永遠在一起。」

我和張寶相對不語。

「離開她，此時此地。」

我不甘心地說：「就因為她有一段過去？每個人都有過去，這並不表示她不能再愛別人！」

「這男的不是過去，而是一個胎記。不管她走到哪裏，他都是她的身分證明。不論你怎麼愛她，她總是會拿你跟他相比。刷牙的方法、毛衣的顏色、喝湯的聲音，你有任何一點和那男的不同，她都會忍不住批評。你們的床將異常擁擠，兩個人睡有三個人的體積。你永遠無法戰勝你的情敵，有血有肉的你怎麼比得上一段美好的回憶？」

「我愛她，這難道不是最好的武器？」

「每個人一生都只愛一次，她已經愛過了，對未來的情意都將免疫。」

「我仍得一試才行。」

「Leave。」

我的心中響起兩種聲音，一方面我希望用真愛來戰勝那男子的陰影，另一方面我也明白回憶是不能被取代的東西。曾經刻骨銘心，一個人還可不可能從頭來起？曾經找到愛情，那份愛能不能被代替？

你們共度一晚，激動地撕裂床單。
積欠了一輩子的情感，連本帶利地歸
還。你看到飄落的花瓣，和一艘淹沒
的帆船。她看到一顆子彈，將她的身
體刺穿……

舊日的擠壓

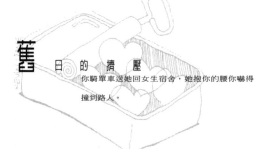

舊日的擠壓

上禮拜我發現我是台灣國語的籃板球情人，同時張寶又掉進另一個感情的坑。

「我碰到我『舊日的擠壓』。」張寶說。

「你昨晚吃烤鴨？」

「『擠壓』是情人的暱稱。我碰到老情人，她剛好沒有帶她先生。我問她最近可好，她哭著說老公有了別的女人。」

我可以了解張寶的心情。她是你的初戀情人，學校第一個正眼看你的女生。有一天你趕搭電梯，她從電梯中伸出手來為你擋門。課堂上老師在解釋希臘眾神，她做手勢要你下課後在福利社等。你坐在階梯上等到餓得發昏，她走過來便當買了兩份。你三分鐘吃得一粒不剩，她把自己的排骨和你對分。你騎單車送她回女生宿舍，她抱你的腰你嚇得撞到路人。宿舍門口她突然轉身，小雨中給了你生命第一個吻。你回家後立刻打電話給她，她站在宿舍公用電話旁和你聊到清晨。畢業後她去威斯康辛 Madison，你一籤抽到福建金門。兩年中你們每天一信，她結尾總說我一直會等。你退伍她回國當企管顧問，在公司裏認識了更好的男人。接你的電話時她總是分秒必爭，偶爾見面她永遠顯得很睏。有一次你看到她男友接受電視訪問，高大英俊講話十分誠懇。一年後她說自己即將訂婚，我們無緣但祝你有美好前程。她們的婚禮請到陳水扁福證，五分鐘內講了十次才子佳人。那一刻你回到

曾和她漫步的椰林大道，突然間痛苦地倒在草地打滾。回家後發現被蚊子咬了一身，第二天發高燒還得了麻疹。

　　我義憤填膺，便說：「她當初這樣對你，現在正是你報復的大好時機。」

　　「報復？事實上，昨晚我們……」

　　「你們……」

　　「舊夢重溫。」

　　「你怎麼這麼沒志氣？」張寶推我，「她當年甩掉你，不給任何原因。閃電結婚的酒席，還發帖子要你送禮。現在她回來找你，眼淚隨便掉個兩滴。你手帕摘下給她，接著褲子就脫倒在地。」

　　「我們昨晚親密的基礎不是性，而是愛情。」

　　「愛你個屁！你們十五年不見，愛早就過了期限。真要講愛情，安娜蘇才值得你反省。幾個禮拜前你還信誓旦旦地要和她到西藏旅行，現在她怎麼就變成了你良心不安的標的？她為你 RU486 吃壞了身體，你報答她的方式是讓別的女人把你當馬騎？」

　　「安娜蘇二十歲，和她親密像是去月球旅行，床上沒有重力，從頭到尾難以呼吸。快樂到此境地，我都覺得對大家不起。我舊日的擠壓三十五歲，和她親密像在家裏掃地，你不會急著完成使命，也沒有興趣做得徹底。它是例行公事，你巴不得找人代替。如果只是為性，我當然寧願跟安娜蘇在一起。」

　　「所以是為了愛……」

舊日的擠壓

你騎單車送她回女生宿舍，她抱你的腰你嚇得撞到路人。

「或是一份共同的記憶。那是一種同屬於五十年次的惺惺相惜。你打開媒體，整天是兩岸關係；你轉台，唯一的其他選擇是蔡依林。你突然發現世界正被三十年次的人統治、七十年次的人占據。你三十五歲，雖已進入壯年，但還不是社會的中堅。你掛名助理副總裁，但沒有權力拍板定案。你和七十年次的相親，講了半天找不到共同的話題。他們喜歡的歌你只聽得懂半句，去 KTV 只有你聽過『三月裏的小雨』。昨晚碰到舊日的擠壓，我有他鄉遇故知的驚喜。我不必再假裝知道近畿小子是誰，她反而會主動提起『阿美阿美』。」

「我完全了解你的心情，」我安慰他，「了解你的不高不低。你不願天真浪漫像剛過十八，又討厭五十歲的老奸巨滑。你在尋找一名三十五歲的已婚女子，她已有成人的滄桑，但身材還不至於完全走樣。做愛已成家常便飯，但沒有體會過高潮的意涵。你們共度一晚，激動地撕裂床單。積欠了一輩子的情感，連本帶利地歸還。你看到飄落的花瓣，和一艘淹沒的帆船。她看到一顆子彈，將她的身體刺穿。結束後像撲滅了一場火災，你們檢視著心的殘骸。第二天她繼續回去當林太太，你告訴女友昨晚老闆從美國來。下次有人談起蔡依林，你不會再覺得疏離。因為五十年次的還在那裏，她和你一樣迷過我達達的馬蹄。」

「謝謝你了解。」

在張寶感激的神情中，我看到了他和安娜蘇的結局。

C S R

我問她愛不愛聽許茹芸的『真愛無敵』，她說她比較喜歡亞當山德勒的『Big Daddy』。我說聽妳的聲音應該不食人間煙火，她說她是八卦女王喜歡吃麻辣火鍋……

愛上一個聲音的確有危險，但是新大陸通常都
是這樣被發現。

CSR

　　上禮拜張寶碰到舊日的擠壓，我為要不要做台灣國語的
籃板球情人而掙扎。當我不知如何是好時，我遇到 CSR。

　　「CSR？」張寶問。

　　「Customer Service Rep，顧客服務代表。前幾天我收到信
用卡帳單，同一項帳款被重複計算。我氣得打 080 號碼，二
話不說就對接電話的 CSR 開罵。她不但沒生氣，還很耐心地
跟我解釋出錯的原因。然後她注意到兩筆款項都在誠品，就
問我那天買了什麼書籍。她的聲音像鎮靜劑，我輕鬆到竟然
毫不克制地放屁。她的解釋很合理，我感覺自己在補習班補
習。」

　　「不要告訴我你愛上了她！」

　　「講了十分鐘後，我開始對她個人產生興趣。我問她愛不
愛聽許茹芸的『真愛無敵』，她說她比較喜歡亞當山德勒的
『Big Daddy』。我說聽妳的聲音應該不食人間煙火，她說她是
八卦女王喜歡吃麻辣火鍋。就在那一刻……」

　　「你愛上了她……」

　　「因為她 fun，她的快樂徹底解除我的武裝。這幾個月我
認識很多好女人，必要時她們都能笑得十分逼真。但內心裏
她們以悲哀為職志，好像稍微快樂就活得不夠誠實。蛋白質
女孩中規中矩，從小壓抑七情六慾。台灣國語曾遇到過夢中
情人，至今仍出現在她夢醒時分。CSR 開朗、快樂，沒有創

傷的過去，不想人生的道理。和我聊天不在乎老闆監聽，給我電話號碼不怕我是神經病。」

「她給你她家的電話？」

「所以當晚我又和她聊了兩個小時，我發現我愛上了她。」

「她的聲音好聽嗎？」張寶問。

「當然，聲音是她工作的主要工具。」

「那你不愛她！」

「我不愛？」

「你愛的是她的聲音。這很容易解釋，你現在和台灣國語在一起，她一切完美，就是聲音不好聽。你尋求補償，於是迷上了CSR。想想看，你連她面都沒見過，怎麼可能愛上她？」

「你沒看過『電子情書』或『西雅圖夜未眠』嗎？誰說愛情一定要建立在見面的基礎上？你整天和女人肌膚相親，辦完事就翻過身去。她一問結婚的日期，你就說明天還要早起。這又是哪門子的愛情？」

「你以為看午夜場『西雅圖夜未眠』的情侶牽手回家後做什麼？Call-in嗎？如果有任何情侶看了那些電影而沒有休息，我跟你保證他們不是打電話給光禹，而是在床上實驗牛頓運動定律。」

「你酖於肉慾、毫無靈性。」

「靈性？我昨天經過菜市場，靈性在買一送一。胡因夢夠

有靈性了吧？她在書中說要把處女膜送給男友當生日禮。」

「你爲什麼不說林覺民，不說意映卿卿？」

「因爲林覺民的時代還沒有這麼多性病，他寫意映卿卿時還沒有那麼多賓館可以休息。林覺民的時代有一個腐敗的滿清，年輕人共同的理想是救國救民。2000 年我們唯一共同的是對八卦的興趣，救國的重要性還不如 WAP 手機。」

「你怎麼這麼犬儒？」

「你不犬儒，那我問你，你是不是打算永遠不和 CSR 見面？」

「我又不是白癡，最後我當然會和她見面，只是我現在珍惜這種心有靈犀的感覺。」

「好，你們心有靈犀，假設見面後你發現她很醜，你還會愛她嗎？」

「她告訴我她以前是空中小姐。」

「她——，好，假設她以前不是，你還會愛她嗎？」

「這個問題根本不成立，你問有什麼意義？」

「你是先知道她是空中小姐還是先覺得和她『心有靈犀』？」

「你這像問我是先長出鬍鬚，還是先覺得自己進入青春期，一個具象一個抽象，我怎麼比？」

張寶停止逼問，他逼視我，然後冷笑，「你只是愛她的聲音、她的神祕、她的距離、她象徵的可能性。你和台灣國語有了問題，CSR 提供給你一個迅速的逃避。你愛 CSR，因

爲和她相處比較容易。每天打幾通電話，想發現彼此的醜陋還來不及。你們的愛只能停留在電話上，一旦見面，她會知道你的笑話都很低級，你會發現她月經來時不講理。」

「閉嘴！」我大叫，「爲什麼你覺得凡事總會幻滅？爲什麼你覺得我們不能容忍彼此的缺點？對愛我至少願意放手一試，你只會永遠沉溺於你的神經質。」

我們終於講到了重點，張寶低下頭，好像在找掉在地上的錢。此時我多麼希望 CSR 就在眼前，只爲了讓張寶了解：愛上一個聲音的確有危險，但是新大陸通常都是這樣被發現。

「有沒有女人在同事生日時蛋糕不碰嘴唇，一個人到炸雞店雞骨頭卻不停地啃？」

「沒有，倒有女人公開批評偷金城武海報的小女生笨，自己在家卻看了五十遍的『不夜城』……」

逐格慢放的東洋

邁阿密的寒冷

　　上禮拜我遇見 CSR，張寶還在想舊日的擠壓。禮拜四張
寶生日，下班後我去辦公室找他。

　　「今天早上有人送我花！」他指著花，我拿起上面的卡，
卡上署名：「一直暗戀你的同事：邁阿密的寒冷。」

　　「『邁阿密的寒冷』？」我問。

　　「我也不知道是什麼東西，不過她竟然是我同事！」

　　我轉頭把張寶的同事看了一圈，沒有人害羞地遮住臉。
我雖和這名女子從未謀面，但可以了解她是如何辛苦地經營
這份孽緣。妳在一家保守的銀行做事，穿制服趕打卡每天忙
得晚飯都不能吃。妳對自己的工作不喜歡也不討厭，準時上
班只是為了那筆固定的錢。早上趕時間妳只能在電腦前吃三
明治，午覺趴著睡每次起來額頭一塊紅印卻不自知。就當妳
開始注意周日報紙的徵才啟事，妳的部門從美國調回一名上
司。他台灣土生土長卻是美國的企管碩士，講話喜歡夾雜英
文鼓勵部署叫他 Alex。他總是忙進忙出沒空注意妳，妳補妝
時用鏡子偷偷瞄他的鷹勾鼻。走廊上他大方和妳問好，表情
誠懇好像他真的在意。妳想吃掉他卻害羞地把頭壓低，大好
機會妳只說得出「聽說颱風又要來襲」。會議上他故意點名問
妳的意見，妳六神無主奪門跑到洗手間。結算日前一天你們
加班到十一點，最後一起離開妳等他設保全。他把燈全部關
掉妳在黑暗中想摸他的臉，他卻掃興地問妳臨走前要不要小

邁 阿 密 的 寒 冷

他總是忙進忙出沒空注意妳，妳補妝時用鏡子偷偷瞄他的鷹勾鼻。

便。電梯中站在一起妳的頭只到他的肩，卻可以感覺他正專注地看妳的臉。突然間他說要不要我送妳回去，妳感激菩薩顯靈嘴巴卻說不好意思麻煩你。他再問要不要一起去吃消夜，妳正要轉頭抱他卻突然感到貧血。他說妳是不是身體不舒服，妳想若能死在他懷裏也義無反顧。他看妳不回答便直問妳爲何對他有成見，妳怎麼解釋愛他入骨冷漠只是妳的表演。他開玩笑說妳是不是從小就這麼冰冷，妳想告訴他其實妳內心像邁阿密一樣熱忱。他洩氣地站到電梯另一邊，再按一次一樓的鈕好像要電梯快一點。妳想說神啊請多給我一點時間，渴望此時全國能夠停電。他拿出手機檢查有沒有留言，妳內心盤算若被他拒絕會不會很丟臉。妳終於鼓起勇氣要表達愛意，此時電梯燈也亮到了 1。電梯門迅速打開，外面站著一名絕色美女。他大聲叫嗨 Julie，美女摘下墨鏡笑容像梁詠琪。他們在大廳中央抱在一起，妳從安全門逃走躲在地下停車場哭泣。第二天妳送他一盆花，署名邁阿密的寒冷。他看完卡片關起辦公室的門，一分鐘後妳收到他的 E-mail 說謝謝妳對我一往情深。

「你是說送我花的是一名外冷內熱的女生？」

「沒錯，」我說，「你的同事中誰是這樣的人？」

「我們金融機構的員工講究精準，通常內心沒有這麼多矛盾。」

「有沒有一路第一志願上來的女生，上一次和男人約會是去看『亂世佳人』？」

「沒有，倒有人當場叫來求婚的男士快滾，半年後卻又抱怨他娶了另一個女人。」

「有沒有人同事生日時蛋糕不碰嘴唇，一個人到炸雞店雞骨頭卻不停地啃？」

「沒有，倒有人公開批評偷金城武海報的小女生笨，自己在家卻看了五十遍的『不夜城』。」

「有沒有人整天高喊兩性平等，燭光晚餐的帳單來時卻總是尿遁？」

「沒有，倒有人上車總要等男人替她開門，上床後卻必須主控每一個吻。」

「有沒有人在老闆面前分秒必爭，老闆出國她就摸魚打混？」

「沒有，倒有人白天表現出小女生的稚嫩，到了晚上竟變成包法利夫人。」

我宣告：「這些表裏不一的人都可能是邁阿密的寒冷！」

張寶決定花幾天觀察幾名可疑人選。晚上回家睡不著覺，我在網路搜尋引擎上打下「邁阿密的寒冷」……

「我找到了！」第二天下班我去找張寶，「『邁阿密的寒冷』是美國 Maybelline 公司在 97 年春季推出的一系列化妝品，顏色都是大膽的綠、黃、粉紅，你們公司有沒有人塗綠色的眼影、黃色的口紅？」

「我們是金融機構，不是萬花樓。」

「用力想想，有沒有人打扮得很辣妹？」

邁阿密的寒冷

他總是忙進忙出沒空注意妳，妳補妝時用鏡子
偷偷瞄他的鷹勾鼻。

「我們公司最辣妹的是接待小姐，但就連她都不敢穿露腳
趾的鞋。」

「這就怪了……讓我打電話給 CSR，問她台北哪裏可以
買到邁阿密的寒冷。」

「用我祕書的電話，先撥 9。」

我坐在張寶祕書的座位，桌上乾淨，連一支可以記電話
的筆都沒有，我不經意地拉開抽屜……

裏面是一盒「邁阿密的寒冷」粉底。

你和她回到家，急得連皮鞋都沒有脫下。客廳中她激動地叫你爸爸，你只怕弄髒她的真皮沙發。第二天早上你先醒來，匆忙逃跑時忘了皮帶。星期天她打電話約你出來，你叫弟弟騙她說自己不在……

辦公室戀情

辦公室戀情

　　上禮拜張寶發現他的祕書在暗戀他，第二天他的祕書請病假。

　　「三年來她從來沒有請過假，我已習慣了事事靠她，」下班後張寶向我訴苦，「今天她突然沒來，我連電腦都不知道怎麼開。沒有她幫我過濾電話，一堆推銷員打來要我辦信用卡。她像一個媽媽，你把她視為理所當然。她對你的好都很微小，於是你從來不知道。她關心你有沒有吃飽，你說拜託妳不要嘮叨。陳阿姨的女兒她要幫你介紹，你說請不要逼婚好不好。有一天她不在了，你才知道她多麼重要。她曾對你那麼的好，你自私地一點都看不到。」

　　我當然知道他講的不是張媽媽。

　　「我愛的其實是她！」張寶昭告，大手一揮推倒電腦，「我在外面那個人肉市場跌跌撞撞，沒想到真愛就近在身旁。和別的女人看午夜場，我只會算計看完後如何騙她們上床。演到一半故意把手放錯地方，看她們會不會給我一巴掌。和祕書在一起我不必這麼忙，她讓我一點都不緊張。甚至只是坐著談新成立的三家固網，我都可以覺得通體舒暢。她的感情不需論斤計兩，愛的價值在上床前後都一樣。」

　　「聽起來很棒，但你不能愛她！」

　　「為什麼？」

　　「辦公室戀情通常都以悲劇收場！」

　　我想起自己沉痛的經驗。起初只是純潔的午飯，辦公室旁各付各的自助餐。你假裝和她一樣喜歡許茹芸，講到 NBA 她勉強睜大眼睛。喝完湯你們確定不來電，走回辦公室兩人隔了五步遠。回到大樓你們幾乎不認識，走進電梯她禮貌地請你幫她按10。星期五你被老闆 K 一頓，加班加到大樓關燈。停車場裏你的車怎麼發也發不動，修車廠的電話怎麼打也打不通。突然間她來敲你的車窗，問你要不要幫忙。也許是停車場的燈不夠亮，她看起來竟然像蕭薔。你坐上她的車，立刻失去一切原則。你和她回到家，急得連皮鞋都沒有脫下。客廳中她激動地叫你爸爸，你只怕弄髒她的真皮沙發。第二天早上你先醒來，匆忙逃跑時忘了皮帶。星期天她打電話約你出來，你叫弟弟騙她說自己不在。星期一你還是不敢面對，打電話請假說自己扭到脊椎。你到泰國去躲了一個禮拜，爲什麼會解她釦子始終想不起來。回公司後你打算辭職，走廊上擦肩而過兩人假裝不認識。你打電話跟她道歉，她說她正忙著吃早點。你 E-mail 給她說對不起，她 forward 全公司你的 message。老闆問你是不是對她性騷擾，你狡辯說沒碰過她一根寒毛。對質時她拿出你留在她家的皮帶，你倒頭大哭無助得像個小孩。老闆念你初犯沒有開除你，但你的責任已降爲打字和送東西。每天早晨你低頭走進公司，同事交頭接耳說這就是那個始亂終棄的登徒子！

　　「你活該！」張寶說，「你無情無義，發生關係時叫愛妳愛妳，需要負責時說不急不急。我不像你，我和邁阿密將成

和她只是坐著談新成立的三家固網，我都可以
覺得通體舒暢。

為革命情侶，每天在辦公室內同居。我們有共同的生活目
標，都是要把公司的逾放比率減少。我們有無數的話題可
談，名正言順報公帳吃燭光晚餐。」

「革命情侶的代價是回家後還要談公事，一天工作二十四
小時。接吻正到高潮，她突然說你要不要檢查一下明天的報
告。決策時不對事對人，對方有錯也不忍心指正。有一天真
的為了公事罵開，順便吵到為什麼好久沒有做愛。這就是為
什麼在大公司，夫妻不能在同一部門！」

張寶把辦公桌上的文件推到地上，發狂大叫：「為什麼
社會上有這麼多規矩？愛情有這麼多禁區？不能愛你的同
事，不能愛你的老師，不能愛表妹，不能愛 David。不能愛
如果她比你大，不能愛如果她比你傻。不能愛如果她家世比
你好，不能愛如果她長得比你高。不能愛如果她薪水比你
多，不能愛如果她沒有處女膜。不能愛如果她是你朋友的太
太，不能愛如果她曾經墮過胎！」

「沒有這些規矩，中產階級的社會如何建立？」

「F---中產階級！」

「F---中產階級？中產階級是我們這種四肢簡單頭腦發達
的人的唯一出路。你我若活在亞馬遜叢林，不到兩天就會被
拿去餵老鼠。」

「但我愛她……」

他說得那麼絕望，好像躺在臨死的病床。我拍拍他，不
知該怎麼講。

日本海細湯

　　你寫信給她，邀她出來聊聊。她
說我記得你，禮拜六萬年冰宮好不
好。你穿著新訂做的制服，反覆摺你
的大盤帽。她沒有來，失望銳利得像
手術刀……

日本濃湯

上禮拜張寶嘗試辦公室戀情，我決定和 CSR 見面。

「別做傻事，」張寶勸我，「沒了神祕感，她只是另一個女孩。」

「我要向你證明我愛上的不是神祕感，而是她的樂觀。我厭倦了層層迷霧的女孩。你向她示愛她裝蒜，你放棄後她開始纏。熱戀時說你是我的老伴，分手時說我以爲我們只是玩玩。CSR 直截了當、不要手腕，愛她比較簡單，你不必去詮釋她每句話的意涵。」

「那台灣國語怎麼辦？」

是的，台灣國語，我的舊愛。我沒有答案，也不知道何時約她吃決裂晚餐。像所有幼稚的男人一樣，一段感情不知如何收場，就去找另一段來補償。

我約 CSR 晚上七點在義大利餐廳。我準時到，一名女侍站在我們預訂的桌前排列餐具。她背對我，我大剌剌坐下，命令說：「給我一杯柳橙汁。」

「柳橙汁？你點的和我一樣！」

一聽那聲音，我驚訝地抬頭。

她轉過頭：「嗨！你來了……」

是 CSR。

「你還好嗎？」她問，「你怎麼臉色蒼白？」

「我……」

　　你，你多久沒有一見鍾情、啞口無言的經驗？上一次是在高二那年，中山女中校慶那天。你倒著走路，背撞到她。你轉頭開罵，她蹲下去撿講義夾。她抬起頭來對你微笑，笑意延伸到髮梢。你眼中亮起光線，第一次感到自己活在這世間。你們擦身而過，她和她的同學回頭瞄你一眼。你張大嘴巴，想叫住她卻說不出話。她們轉入街角，你看到她書包邊緣的毛在飄。你站在原地，全身麻痺竟在褲子裏尿尿。你記住她的學號，託朋友打聽名字。朋友說她姓高，拍過洗面皂廣告。你寫信給她，邀她出來聊聊。她說我記得你，禮拜六萬年冰宮好不好。你穿著新訂做的制服，反覆摺你的大盤帽。她沒有來，失望銳利得像手術刀。

　　後來你長大，幾次失敗的戀情讓你變得心狠手辣。追女人像刷信用卡，性關係只是你的下午茶。拿到 MBA，談戀愛也開始用行銷手法。廣告誇大，所用的話語都很假。認識當晚你一定送她們回家，三天後打第一次電話。兩個禮拜後你開始送花，附上的卡片署名 Your Love。她打電話問你在幹嘛，你說當然是想妳啦。挑逗的話你說得自然，一邊摸她還可以一邊分析今天的大盤。她所有的暗示你立刻都懂，永遠知道何時採取下一步行動。你熟知各種技巧讓她不痛，花言巧語說服她事後避孕也能成功。

　　你是愛情遊戲的職業玩家，直到今晚碰到 CSR。

　　她在我對面坐下，我激動地說不出話。突然間我回到高二時光，女孩一笑我就全身發麻。

日本濃湯

你多久沒有一見鍾情、啞口無言的經驗？

CSR說：「他們餐具的擺設不對，我忍不住起來糾正。」

「餐……」我拿起叉子，一把揮倒桌上的冰水。冰塊掉在我的褲襠，我還一動不動地看著她的臉龐。她走過來為我擦拭，我跳起來撞翻椅子。

「我有這麼醜嗎？」

「不！」我大叫，餐廳裏其他顧客轉過頭看我。

「你是不是缺氧？」她過來拉開我的領帶，「我以前在華航學過CPR。」

我立刻躲開，撞倒鄰桌的嬰孩。嬰孩開始哭鬧，我遞給他我們桌上的麵包。

「你到底怎麼搞的？」她張大眼，假裝害怕，「慘了，你該不會是那種白天上班、晚上專門殺害空姐的色狼？」

「我……」

「唉，」她坐下，「來都來了，也得吃飽了再遇害。」

我竟傻傻地點頭。

我們坐下，她大叫，「七點十分，我餓死了，以後不要約這麼晚好不好？」

侍者遞上菜單，我仍在打顫。

「我要一客牛排，」牛排？她是台北唯一沒在減肥的美女，「三分熟，」她拿起紅酒說，「我喜歡血淋淋的感覺。」

她用力抖開餐巾，我這才清醒。

「先生，你呢？」侍者問我。

「先生！」

「我……」我看了CSR一眼，擠出沙啞的聲音，「小姐，你——你——你們菜——菜——菜單上這個『日本濃湯』是——是——是不是就是味噌湯？」

「先生，我們是義大利餐廳，那是『本日濃湯』，不是『日本濃湯』。」

CSR和侍者同時笑了出來，剛才被我嚇哭的小孩笑得噴奶。

我的 cool 呢？我整套晚餐約會的戰略呢？我提早到場、觀察女廁方向的仔細呢？我事先給領班小費，要他假裝我是重要顧客的心機呢？我在她進來時讚美她鞋子的小聰明呢？我看著侍者名牌，叫她 Jenny、不按菜單點菜的優雅呢？我說「我要紅酒、我的『太太』要白酒」的把戲呢？我在桌下「不小心」碰到她腿的挑逗呢？我在她起身上廁所時為她拉椅子的敏捷呢？我在付帳時拿出金卡的慢動作呢？我在離開時為她穿上大衣、然後輕摟著她腰走出去的自信呢？我百發百中、完全比賽的紀錄呢？

什麼力量，讓愛情玩家在義大利餐廳點日本濃湯？

她出現時你要維持笑臉，高興或後悔都要非常收斂。她若漂亮你可以叫一瓶Chardonnay，她若不美你甜點就不用點。若想再見面你應該送她回家，不想再聯絡你就在她面前剔牙⋯⋯

love.com

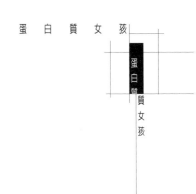

蛋
白
質
女
孩

love.com

上禮拜我和 CSR 見面，張寶失蹤了五天。

「我去和網路上認識的女子見面。」張寶說。

「網路上認識的女子？」

「現在有許多配對網站，你很容易就能認識門當戶對的女孩。」

「那是小朋友的遊戲，我們三十多歲，怎麼可能去網站上求愛？」

「你的觀念怎麼這麼古板？配對網站裏有很多和我們同齡的單身男女，他們原本也像你一樣不切實際，堅持兩人必須自然地認識。眼高手低一下子三十好幾，這才看清現實標準慢慢降低。交友的方式開始變得很有彈性，不再排斥相親或非常男女。在網路求偶極有效率，你可以迅速過濾身高體重和年齡。我通常只找碩士以上的女性，身高 163 到 167。27 到 30 歲至少要有 33D，若 32 歲以上則必須有大筆積蓄。她最好是金融機構的經理，不過專員以上我都可以委屈。處女座我盡量躲避，AB 型我理都不理。」

「天啊，網路完全暴露了你的膚淺和勢利！」

「我當然不是在追求柏拉圖式的愛情。我有一個朋友畢生在追求心靈伴侶，現在五十七歲陪他的只有天心的寫真集。」

「你在網路上戀愛又能刺激到哪去？」

「這你就不懂了，讓我告訴你怎麼布局。認識的前兩天當

她們也希望午夜的大床邊有人餵她草莓，一邊
聽她傾訴一邊為她按摩背。

KEVIN LIANG

然只是 E-mail 來 E-mail 去，扯些『你是我第一個在網路上認
識的異性』的狗屁。遣詞用字像紳士和處女，大量使用請謝
謝對不起。真名千萬不要隨便說出去，最好取個洋名或叫什
麼『黑色茉莉』。第三天開始交換電話號碼，預防對方是變態
所以開始只給手機。聊過一次若覺得有趣，當晚就直接打到
家裏。第四天就可以見面，通常約在大飯店的 lobby。她出現
時你要維持笑臉，高興或後悔都要非常收斂。她若漂亮你可
以叫一瓶 Chardonnay，她若不美你甜點就不用點。若想再見
面你應該送她回家，不想再聯絡你就在她面前剔牙。她對你
有興趣當晚會再 E-mail 給你，你對她有興趣要想辦法說服她
到賓館休息。」

「這是什麼配對？這像日本燒肉串上雞肉和青椒隨機地串
在一起，裏面哪有任何感情？」

「日本燒肉串為什麼這麼受歡迎，就因為它快又便宜。現
在事事講究效率，沒有人有時間去做 sashimi。」

「你這種講法太偏激，我認識很多女孩子仍嚮往天長地久
有時盡此恨綿綿無絕期。」

「老弟你醒一醒，我們已經 37 世界快到 21 世紀，如果你
還以為現實的愛是像許茹芸的歌曲，你可能到了五十歲還靠
右手作為性伴侶。」

「漂亮就上床，不漂亮就各自付帳，我寧可不要活在這種
現實裏。」

「這你倒不用擔心。在網路上認識的女人通常不會太美或

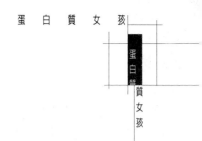

太醜。太美的人不需要藉網路認識朋友，太醜的人無法承受最後要見面的壓力。」

「我想精明能幹的大概也不會相信這種盲目的配對。」

「這你就錯了。你知道有多少年輕、漂亮、精明、能幹的企管顧問或投資銀行家的感情是一片空白嗎？她們整天坐在公司電腦前，不時低頭看自己的高跟鞋尖。別人在 @live 裏面心算自己的安全期，她們在 Excel 裏面計算案子的投資報酬率。她們也希望七點有人打電話來問她們吃飯了沒，十點有人開車接她去 pub 喝一杯。午夜的大床邊有人餵她草莓，一邊聽她傾訴一邊為她按摩背。」

「但她們忙到沒時間用傳統的方法認識異性。」

「所以她們上網，希望能找到對抗寂寞的力量。我昨天和第二名網友見面，她經手的案子都是幾千萬美元。剛好她長得又美如天仙，所以我和她玩到半夜三點。我還有另外兩名網友即將見面，成就非凡卻都寂寞得可憐。沒有網路，她們最後可能都會進瘋人院！」

張寶回去上網，我獨自站在空蕩的街上。耳中出現modem 接通的聲響，眼睛看到一個個重疊的視窗。我在想：是不是所有的事物都可以上網，所有的愛都可以被 .com？

她們偶爾也用可伶可俐，夢中常出現那名建中男孩的身影。她們也渴望男人送她Hello Kitty，情書上有一行行的愛妳不渝。夜裏有一個肩膀可以哭泣，委屈時有人為她打抱不平。星期天有人陪她們逛街shopping，鼓勵她嘗試黑色的內衣。

女強人

女強人

上禮拜張寶在網路上認識一名女強人，他們第一次約會我在一旁陪襯。

「你今天應該送花給她！」第二天張寶對我說。

「我？她是你的朋友，我送什麼花？」

「我是要把她介紹給你，你難道沒有興趣？」

「我當然有興趣。她是長春藤的 MBA，華爾街工作了五年。回國後進入投資公司，辦公室有自己的浴室。一早起來到健身房游蛙式，接著連續工作十八個小時。從頭到腳是義大利服飾，必要時不怕穿短的裙子。激勵員工時懂得甜言蜜語，發起脾氣罵你是豬狗牛驢。領導一群金融精兵，打字的祕書都比你我聰明。公司的錄取率是五百比一，進去後每個人對她死心塌地。她預算高得毫無人性，每一季卻總能達到 sales target。她買你的公司價錢出奇得低，和她討價還價你是自討無趣。有時談判會陷入僵局，她寧可讓它破裂也不把姿態放低。業界對她的風格多所批評，兩個官司纏身她卻只談昨日的 birdie。國外老闆給她高薪和司機，她寧願走路上班腳底一雙 Nike。生病時一個人到醫院吊點滴，你不會在辦公室看到她打噴嚏。壓力太大時員工背地罵她老處女，外面藏了一個女友叫 Amy。其實她下班回家立刻看 CNBC 的美股分析，夜裏躺在床上不用會震動的電器。」

「天啊，你怎麼這麼了解她？」張寶驚訝。

女強人

她們渴望被追求，被想念，被患得患失，被丟入許願池。

「我還了解這樣的女人不會要你的花，她讓碎紙機讀你腸枯思竭寫出的卡。」

「爲什麼？」

「因爲她們太聰明，不屑玩我們凡夫俗女的遊戲。」

「哈，這你就錯了，」張寶說，「那些表面上強悍的女人，背地裏可能完全不是那回事。我認識過幾名女強人，暗地裏其實可以分成兩種典型。」

「哪兩種？」

「第一種是少女情懷總是詩。」

「第二種呢？」

「援助交際二十四小時。」

「援什麼？」

「第二種你惹不起，所以不講也罷。第一種非常簡單，你只要送花。」

「送花？她們會把你當笑話！」

「別傻了。專業成就越高，鮮花和巧克力越有效。她們外表強悍聰明，內心其實像鄉下少女。可惜從來沒有人把她們當 lady，大家都以爲她們是毫無情感的賺錢機器。其實她們偶爾也用可伶可俐，夢中常出現那名建中男孩的身影。她們也渴望男人送她 Hello Kitty，情書上有一行行的愛妳不渝。夜裏有一個肩膀可以哭泣，委屈時有人爲她打抱不平。星期天有人陪她們逛街 shopping，鼓勵她嘗試黑色的內衣。聖誕節陪她們去洛杉磯的迪士尼，雲霄飛車上跟她呼天搶地。下

來後摟她的腰吃冰淇淋，撥開她額前的亂髮輕吻下去。想想看，當你已經是總經理，你唯一還沒有的權力是在教堂說『我願意』。當你有了千萬年薪，能讓你更快樂的可能只剩下自己的 baby。」

「你這理論倒很有趣，也許我應該約她出去。」

「如果她第一次拒絕你，千萬不要洩氣。」

我迷惑起來：「你剛剛不是才說她們也渴望愛情，那我怎麼還會被拒絕？」

「她們渴望的是老式的愛情。她們渴望被追求，被想念，被患得患失，被丟入許願池。她們在等待一個騎士，熱情洋溢但絕不冒失，面對壓力也不罵狗屎。她們在等待一個天使，純潔浪漫但不會懵懂無知，輕鬆愉快但不至於無所是事。電機博士但精通歷史，看愛情片手帕會濕。約會等她不怕烈日，不論多忙一定準時。接她上班像社區巴士，住在新竹但每天送她回大直。」

「有這種男人，我寧願變成同志。」

「不過昨天我們認識的女強人過了四十，所以她已降低了標準。現在只要你品行端正，抽菸時不對她噴。拿茶杯手還很穩，禿頭不要勉強旁分，她就可以接受。」

「那我得趕快行動，符合這條件的大概有幾千人。」

我撥電話給女強人，突然間我變成小學生，被指派到辦公室抱記事本。一種虛榮、一次出征。對方電話響起，我開始極度興奮。

領土的完整

這是高中時期的自強活動，激烈的程度不下於中橫縱走。同學升旗時若睡眼惺忪，大概是昨晚一砲而紅。班長說你必須有開墾的精神，勇往直前就像林沖夜奔。不必理會電話的鈴聲，只要小心中途有人開門……

領土的完整

上禮拜張寶為我介紹女強人，我因為自卑而不敢和她認真。

「你九點就送她回家？」張寶吃驚地問。

「她送我。」

「那你們顯然沒有……」

我沮喪地搖頭。

「你最近幾次都沒搞頭，如果我沒記錯，」張寶露出關愛的眼神，「你已經很久沒有……」

「那又如何？」

「你一個人，是否能保持領土的完整？」

「『領土的完整』？」

「就是說你每晚上床後立刻睡覺，沒有晚自習的活動。」

我皺起眉頭，很難想像三十幾歲的人還在床上用功。這是高中時期的自強活動，激烈的程度不下於中橫縱走。同學升旗時若睡眼惺忪，大概是昨晚一砲而紅。下課時同學會低聲討論，互相為對方的表現評分。班長說你必須有開墾的精神，勇往直前就像林沖夜奔。不必理會電話鈴聲，只要小心中途有人開門。有人說感覺像開水在滾，有人堅持要完全沸騰。班長說關鍵是勇敢堅忍，切記大丈夫能屈能伸。你以為他們談的是野地求生，心想自己永遠用不到這種技能。只是不解他們為什麼都臉色紅潤，打起籃球突然都變得很準。有一天你在公車上遇到一名北一女新生，剎那間你認定她是你

領土的完整

愛的目的應該是兩個人能量的交流，一個人的感覺像在清水管不通。

初戀情人。你想和她去淡水共度黃昏，夕陽下獻出你的初吻。你只追求心靈的純真，性愛遙遠如非洲一個小鎮。可惜她對你沒有感覺，回信寫得十分簡略。「我去淡水已經有了人陪，他是建中的樂隊指揮。」洗完澡後你坐在床邊，拿著她國中紀念冊的照片。你幻想她就躺在你的背面，告訴你信中寫的都是謊言。你慢慢閉上雙眼，她的臉緩緩浮現。她讓你進入她的私人花園，你快樂地在裏面玩了一天……

「好了，」張寶打斷我，「我不需要知道細節。」

「那是我唯一國土淪陷的經驗。」

「你是說，之後你就一直保持領土的完整？」

我點頭。

「我不相信，你當兵時難道不感到孤寂？」

「我在花蓮當步兵，累得晚點名後就不支倒地。」

「留學時異鄉異地，你難道不覺得空虛？」

「我經濟唸得一敗塗地，有空就做微積分習題。當你時時有被當的壓力，自然就會忘記身體所需。」

「那進社會呢？你們公司那麼多美女，你難道不想和她們有交集？」

「聽著，我對單打獨鬥不感興趣。愛的目的應該是兩個人能量的交流，一個人做感覺像在清水管不通。」

「所以你追求的是一種光合作用，甚至不在乎你在台北她在高雄？」

「太好了，我的哲學你一聽就懂！」

「你的哲學像世界大同，立意雖美但不會成功。身體必須
適度地運動，就像水庫必須調節性的洩洪。當愛飄渺得像一
陣風，你只有人盡其才物盡其用。」

「我很好奇，你認識一堆美女，為什麼還會整天想這些東
西？」

「這跟有沒有伴侶沒有關係，因為不管你的另一半多麼仔
細，到最後只有你最了解自己。」

回到家裏，我為張寶的理論感到心神不寧。躺在床上，
竟對 CSR 起了不潔之心。

此時張寶又打電話來挑釁：「怎麼樣，感受到我講的壓
力了吧？」

「我可以抗拒，憑藉我的意志力！」

「你的意志力早就死在你上禮拜買的那套 Armani。」

「那就憑我對健康的珍惜，我不能糟蹋自己的身體！」

「醫學早已證明，這對健康有許多利益。」

我從床上跳起，開始練起啞鈴。剎那間我興起保家衛國
的決心，大好江山不能被自己蹂躪。

「你何苦這樣折磨自己，CSR 如此聰明，等她答應可能
要到下個世紀。此刻只要你閉上眼睛，立刻就能和她結為連
理。」

我放下啞鈴，耳邊傳來鄰居看連續劇的聲音。CSR 這禮
拜回中壢，我的人生如此孤寂。朋友們都在狂歡縱慾，我幹
嘛還玉潔冰清。但同時我想到當年那個北一女，自己為她寫

領土的完整

愛的目的應該是兩個人能量的交流，一個人的

感覺像在清水管不通。

的純情詩句。曾經我相信愛情，不立文字以心傳心。思念讓我從夢中驚醒，她的信我反覆讀到天明。我在重慶南路收集她的腳印，在七夕夜空尋找牛郎和織女星……

第二天，張寶問我：「你還保持著領土的完整嗎？」

我微笑。

女朋友，多麼美麗的字眼，像湯圓或麵線，沒有明確的起頭和終點。像台積電或宇多田，充滿想像空間。像新店，你明知她存在卻不想跑那麼遠。像賺錢，太多或太少都讓你陷入瘋狂邊緣……

g.f.

g.f.

你的舊內褲她拿來當抹布擦，她的內衣被你撕
裂一打。

g. f.

上禮拜我保持領土的完整，副作用是好幾天都悶不吭聲。

「你這樣下去不是辦法，你那個 g. f. 到底什麼時候回家？」張寶問。

「『g. f.』？」

「girlfriend，她不是叫 CSR？」

「她怎麼算是我的女朋友？」

「她還不算，那你怎麼定義女朋友？」

啊，女朋友，多麼美麗的字眼，像湯圓或麵線，沒有明確的起頭和終點。像台積電或宇多田，充滿想像空間。像新店，你明知她存在卻不想跑那麼遠。像賺錢，太多或太少都讓你陷入瘋狂邊緣。

「聽起來你有痛苦的經驗？」張寶問。

「高中時第一次發生，補習班的夢中情人。老師在黑板上講微積分，你在想她寫字的手會不會冷。下課後你站在一樓等，她出來時說請你不要擋住門。你鍥而不捨地在後面跟，寧波西街一路走到小南門。最後你終於鼓起勇氣問，同學妳的筆記借不借人。筆記第二天還給她，裏面夾了一張情人卡：『我們學校電影欣賞會要演『亂世佳人』，想不想來回味一下南北戰爭？』她說南海路上電線桿的第五根，五點四十你可不要讓我等。你和她一起走進校門，迎面竟走來訓導主任。他說你頭髮長得可以旁分，再不理就一個大過處分。他

怎麼知道你是為了今天而留，想在她面前當性格小生。進場時你握她的手，緊得像和了水的麵粉。她甩開你一臉氣憤，表情嚴肅得像甘地夫人。你說我以為妳是我的女朋友，她說你怎麼想得這麼天真？」

「所以你曾經自作多情，急得像猩猩。」

於是你變得冷酷無情，保護功夫做得十分徹底。女生問你星座和姓名，你斜眼看她好像她要偷東西。一晚同事在電梯裏掉了隱形眼鏡，你跪在地上幫她四處找尋。最後發現是夾在衣領，你還給她時說妳有美麗的眼睛。第二天你們同時到員工餐廳，都是一個人所以自然地坐在一起。你替她拿刀叉和紙巾，吃完後她幫你把餐盤倒乾淨。接著你們看了幾次電影，你替她排隊買 Hello Kitty。送她回家她問你要不要上去，你說好啊我想看妳新買的 DVD。她看了幾分鐘便睡在你的懷裏，你怕她著涼起身去關冷氣。不小心看到冷氣下的電話機，你的號碼被設定到快速撥號鍵裏。幾天後你們到華納威秀，碰到她同事她介紹你是她男友。回來後你說我們才認識多久，我不要 g. f. 只要自由。

「原來你曾經被女人嚇到，不敢再輕易對別人好。」

「所以我不知道 CSR 是不是我的女朋友，我甚至不知道什麼叫女朋友！」

「讓我來幫你，」張寶說，「我問你二十個問題，每回答一個『是』，你就得到一分，最後看你總共得幾分：

1. 你和她走在路上會牽手，接吻時會碰到舌頭。

g . f .

你的舊內褲她拿來當抹布擦，她的內衣被你撕

裂一打。

2. 碰到狗她躲在你身後，碰到舊情人她緊握你的手。

3. 她覺得你長得像金城武，你覺得她長得像林青霞。

4. 打電話時不說『喂』而說『是我你在幹嘛』。

5. 逛街時買珍珠奶茶，一根吸管就可以打發。

6. 沒事送她花，吃晚飯她點菜你刷卡。

7. 一天十次電話，談話內容一次比一次雜。

8. 同事們都說你的智力變差，聽你和她講電話都覺得肉麻。

9. 你媽媽不喜歡她，她爸爸追著你打。

10. 碰她的部位逐漸往下，慢慢地她不再掙扎。

11. 和她約會你會穿成對的襪，她來你家前你會先把浴缸
刷一刷。

12. 你家有她的牙刷，馬桶上有一盒棉花棒。

13. 你知道她的安全期，她知道你提款卡的密碼。

14. 小完便馬桶蓋會放下，香港腳的藥你終於開始認真地擦。

15. 你的舊內褲她拿來當抹布擦，她的內衣被你撕裂一打。

16. 儘管她穿得密不通風，你身體的某些部位仍會自然變大。

17. 為了你她的高潮都在作假，為了她你願意看英格麗褒
曼的『Casablanca』。

18. 星期六下午她幫你理髮，半夜背癢你幫她抓。

19. 星期天下午她為你做海鮮pasta，吃完後你餵她Häagen-
Dazs。

20. 你們會為瑣事大吵一架，氣頭上曾考慮過謀殺。」

「天啊，」我大叫，「我得了十八分！」

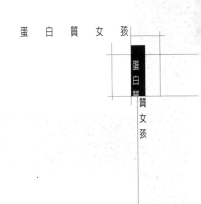

「慘了，」張寶宣布，「十分以上，她就達到 g. f. 的標準。十八分，她可以當你的英倫情人！」

我心頭一震，開始找逃生門。

我喜歡看她們穿著緊繃的短裙，
蹲下來撿筆。喝紅酒在杯緣留下唇
印，吃牛排嘴角沾到血滴。本來要去
誠品結果走到遠企，刷卡時才覺得人
生有意義。每天要別人信上帝，逛街
時卻隨手偷小東西……

轉開

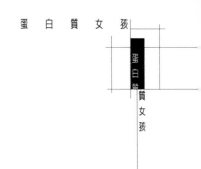

轉開

　　上禮拜我發現自己有了g. f.，張寶卻很久沒有脫女生的衣服。

　　「不知爲什麼，」張寶抱怨，「我突然對女人失去興趣。街上那麼多美女，沒有一個有轉開我的能力。」

　　「『轉開』？」

　　「Turn-on。就是能令人衝動的特徵。以前我喜歡長腿、豐胸，和厚唇，但不知爲什麼，這些東西突然不再令我興奮。」

　　「也許你成熟了。」

　　「不可能。我想是因爲我已經到了『見山是山、見水是水』的境界。經濟學中有一種『邊際報酬遞減法則』，當我摸到第一雙美腿後，以後的腿帶給我的快樂就開始打折扣。」

　　「這就是你的悲哀。你沉迷於肉體之愛，每次只在乎它有沒有來。你的心永遠不在，對方只像是一只輪胎。難怪你會冷感，因爲女人對你來說只是——」

　　「誰說我冷感？我只是需要一些新的轉開！」

　　「像威而鋼？」

　　「像上班女郎！」

　　他帶我去民生東路的 Starbucks，隔著落地窗看街上的上班女郎。

　　張寶說：「套裝是轉開，襯衫第一個釦子不能扣起來，

轉開

大雨的街頭，她提著鞋赤腳踏過積水。一個人
坐在吧台，一邊咳嗽一邊喝咖啡。

那樣就隱隱可以看到肩帶，最好右邊的還稍稍有點歪。」

我感覺自己在打 0204 電話，就找藉口逃開。

「我肚子痛，讓我去廁所。」

張寶抓住我的皮帶，「高跟鞋是轉開，裙子最好又緊又窄。腳趾是轉開，前提是膚色必須很白。細長的手指是轉開，她學過鋼琴必要時手指可以動得很快。戒指是轉開，因為你知道和她不會有未來。頸背的毛髮是轉開，因為那可以看得出她荷爾蒙分泌得很快。嘴巴是轉開，因為那是最容易攻陷的性感帶。」

「你說得好像這每一個器官都可以拿下來賣。」

「有時候轉開是一個動作，而不是一個器官。我喜歡看她們跑完三十分鐘，對著礦泉水的瓶口灌。沖完澡走出來，濕淋淋的短髮往後翻。大雨的街頭，提著鞋赤腳踏過積水。一個人坐在吧台，一邊咳嗽一邊喝咖啡。

我喜歡看她們穿著緊繃的短裙，蹲下來撿筆。下班時白絲襪上加雙白襪，然後換上Nike。打開冰箱，掙扎著要不要吃巧克力。換上男人的睡衣，因為方向相反而扣不整齊。我喜歡看她們喝紅酒在杯緣留下唇印，吃牛排嘴角沾到血滴。本來要去誠品結果走到遠企，刷卡時才覺得人生有意義。每天要別人信上帝，逛街時卻隨手偷小東西。

我喜歡她們在電影院裏轉過頭來噓你，好像舞台上有手術在進行。走出大樓陰天還戴上墨鏡，好像她是電影明星。我喜歡知道她老爸是台積電的大股東，而她是家裏的獨生女。

114

　　我喜歡她們把車上的後照鏡移過來補妝，認眞的表情好像馬上要進新房。每天問你她有沒有變胖，三餐後立刻拿秤來量。每天問你還愛不愛她，不論你怎麼回答她都覺得你在撒謊。

　　我喜歡看她們零錢一定要放進小錢包，手機一定用套子套好。每天花一小時洗澡，打個噴嚏就忙著吃藥。戴男人的大手錶，打你耳光時特別有力道。塗完口紅會把嘴唇咬一咬，穿完胸罩不自覺地用手推高。

　　我喜歡看她們喝可樂一定要加很多冰塊，荷包蛋只吃蛋白。還錄影帶前一定倒帶，地震後第一個捐款賑災。洗澡時門一定鎖起來，親吻時嘴死也不張開。進辦公大樓就掛起項鍊名牌，抬頭挺胸好像別人突然變得比她矮。

　　我喜歡看她們拖你去看鬼片，精采片段她卻躲到洗手間。會議桌下脫掉高跟鞋，會議桌上還能反駁你的論點。

　　我喜歡看她們看『獅子王』時潸然淚下，張三李四都寄聖誕卡。戴隱形眼鏡時要掙扎，拿下時淚水唏哩嘩啦。」

　　「你是說女人這些小動作都能讓你興奮？」

　　「而且可以持續好幾個時辰。」

　　「天啊，我一直以爲你是世界上最膚淺的男人，沒想到你的腦袋裏還有一點成分。」

　　「事實上我很有靈性。我喜歡女孩子戴眼鏡，能夠談俄國小說或法國電影。你明知道她們不可能跟你亂來，於是更想讓她們腐敗。當她在談解構和後現代，你在想如何把她的鈕

轉開

大雨的街頭，她提著鞋赤腳踏過積水。一個人
坐在吧台，一邊咳嗽一邊喝咖啡。

子解開。當她批評美國的文化侵略，你在想能用什麼好萊塢
電影的挑逗情節。我喜歡看她們最後脫下衣服時那種嚴肅的
神情，好像即將犯下不可饒恕的罪行。她們會用慢動作來進
行這場成人禮，回家後還會寫一篇地下室手記。」

　　此時一名女子蹲在張寶身旁撿筆，她戴著名牌、穿著
Nike，手中一本托爾斯泰。張寶從椅子上摔下，像狼一樣叫
起來。

「愛情」

　你想把所有的情意一吐為快，焦急得像在搶救火災。你想對她徹底表白，期望她給你同等對待。你沒有給她空間適應你的存在，沒有給她時間計畫你們的未來。你的愛像讀者文摘，第一段就要說個明白。

L 那 個 字

L那個字是手中的一對癥十，如果對方太早得

知，你立刻在牌局中處於劣勢。

L 那個字

上禮拜張寶介紹了各種轉開，我在 CSR 身上都看得出來。

「我找到了！」我對張寶宣告，「CSR 就是我多年來尋找的女子，我明天將對她說 L 那個字！」

「LOVE？」

我堅定地點頭。

「萬萬不可！」他抓住我的西裝，給了我兩巴掌，「她對你說過 L 那個字嗎？」

「沒有。不過她說她喜歡我的純真，讚美我用自來水時很節省。」

「『喜歡』？喜歡算什麼？我喜歡我的狗！喜歡是一個陷阱，引誘你先向她掏心。你要以退為進，千萬不能中她的計！」

「為什麼？」

「這是戀愛男女的政治，L 字是手中的一對癥十。如果對方太早得知，你立刻在牌局中處於劣勢。你們正值美麗的初識，對方給你的感覺像柳橙汁。你慶幸終於有美女能夠準時，她欣慰總算有男人不是只想辦事。你早上起來為了她刮鬍子，她晚上睡前為你寫一首詩。你們對對方都有好感，但不確定對方對你愛是不愛。在公司你整天等她打電話來，要送她的東西每天不斷地買。你想把所有的情意一吐為快，焦急得像在搶救火災。你想對她徹底表白，期望她給你同等對

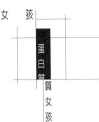

待。你沒有給她空間適應你的存在，沒有給她時間計畫你們的未來。你的愛像讀者文摘，第一段就要說個明白。你的速度永遠快了半拍，逼著別人立刻攤牌。你明知這樣會把她嚇壞，但你還是積習難改。

於是你給她暗示，送花的數目從一打變成五十。然後你給她明示，問她將來想生幾個孩子。她沒有回應，你感覺像白癡。於是你和她約在浪漫的法國餐廳，先送一個三萬多塊的點睛品。當侍者送上她點的烤雞，你突然蹦出一句我愛妳。她緩緩打開白色的餐巾，你又補上一句英文翻譯。她慢慢剝掉雞皮，開始評論最近的天氣。你低頭看她的眼睛，她突然站起來問廁所在哪裏。你大聲說我陪妳去，她說你先吃你的魚。回來後她若無其事，抱怨廁所沒有衛生紙。結帳時她要付一半，說老叫你出不好意思。離開後她說家裏臨時有事，自己叫車回到大直。你睡前打電話給她，只有答錄機跟你講話。第二天你打到公司，祕書問了你的名字後說有客戶在她辦公室。你留了話請她回電，然後傻傻地等了一年。

「她為什麼突然改變？」

「她為什麼突然改變？」張寶指著我的鼻子，「因為你暴露了你的弱點。」

「愛她是一種弱點？」

「愛她不是弱點，但說出來就苦海無邊。愛情的樂趣在於不知道對方的底線，老是懷疑有第三者夾在中間。有時候她讓你拍裸體照片，有時候你約她她說沒時間。你懷疑她對你

L那個字是手中的一對爛十，如果對方太早得
知，你立刻在牌局中處於劣勢。

好是不是只因爲有禮貌，打電話給你是不是只因爲睡不著。
如果今天金城武和你讓她選，她會不會在二十八秒內對你說
抱歉？如果你告訴她你會愛她一萬年，她會不會說這樣的話
那我再考慮一天？」

　　張寶抓過我的手，像在教一個小孩不要吸手指，「如果
她對你的態度有時像梁詠琪有時像陳寶蓮，你對她就要有時
像宋楚瑜有時像陳水扁。」

　　「這樣曖昧的戀愛談得多累？」

　　「這樣曖昧的戀愛才會永遠新鮮。如果雙方已經坦誠相
見，相處時就不再有想像空間。講話像在買賣保險，看電影
時一直要去洗手間。一旦你覺得在她身旁很安全，就不會再
鞭策自己努力表現。」

　　「做自己不是很好？」

　　「做自己是愛情的毒藥！我們的真我像陽春麵，沒有人願
意連續吃好幾天。所以我們必須不斷表演，讓她們覺得麵中
有足夠的鹽。」

　　「既然男女不能坦誠相見，你爲什麼一認識女人就和她們
開房間？」

　　「你當然可以和她們上床，只是不要說我認識的女人中妳
最棒。夜裏你大可以甜言蜜語，但第二天早晨要迅速撤離。
第二天晚上可以約她們吃飯，昨夜的事要絕口不談。吃完飯
各自回家，一周之內不要給她打電話。她會氣得中午來公司
找你算帳，你就託同事幫你買便當。兩周後再躲到她家停車

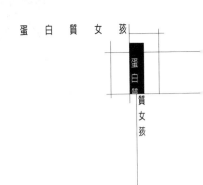

場，拿著花懇求她原諒。你這樣不斷改變立場，她對你的依賴就越來越強。」

「如果我是她們，我會給你一巴掌。」

「她們都抱著我不放！」張寶得意地說，「聽我的，別說 L 那個字！」

為了要挑戰他，我拿起電話。他用力抓著我，好像制止我自殺。

「喂？」

「CSR，我……」

還她放在你家的衛生棉，更改保險
受益人的表格請她簽，收回你們激情
錄影帶的版權，逼她把沾有你的DNA的
衣服送到洗衣店……

預防性分手

預防性分手

上禮拜我對 CSR 說出 L 那個字，她立刻放了我好幾次鴿子。

「誰叫你不聽我的勸告！」張寶幸災樂禍地說。

「我怎麼辦？」

「你還有最後一招。」

「什麼？」

「預防性分手。」

「『預防性分手』？」

「你有沒有聽過康柏電腦？」

「這跟康柏電腦有什麼關係？」

「康柏本來是屬於高價位的產品。為了防止低價電腦侵入它的市場，康柏自己先推出低價電腦，吃下低價市場，這樣競爭者就沒戲唱。這種先發制人的戰略叫『預防性的攻擊』。」

「你講得很好，但這關我啥事？」

「你也可以發動預防性的攻擊，在 CSR 開口和你分手前先甩掉她！」

「這豈不是正為她解套？」

「至少在紀錄上你的分數比較高。別人會知道，你們分手，是你挑，而不是她不要。」

這套 MBA 的東西的確深奧，我拍手叫好，但立刻感覺不妙。

123

預

防 性 分 手

分手的地點最好在新公園，萬一她昏倒可以送
台大醫院。不要在餐廳裏面，因爲刀叉就放在
旁邊。

「等一等，萬一她並沒有要和我分手，那我豈不是弄巧成
拙？畢竟我們沒有爭吵，沒有人吞安眠藥。」

「有些分手有戲劇性的高潮：抓姦在床，目睹他屁股上的
痔瘡。大吵一架，臨走時給他一巴掌。割腕自殺，血水流滿
浴缸。披頭散髮，戳爛你們睡過的床。徹夜談判，項鍊和戒
指歸還。整夜失眠，燒你們合照的照片。」

我辯駁：「她沒有這些舉動！」

「那她是屬於第二種。戀情慢慢變淡，最後剩下一只空
碗。最後一次晚餐，開始各用各的吸管。一桌好菜，半小時
就吃完。散步散到一半，你忘了把衣服給她穿。約她下次見
面，她說明天再看看。明天打給她，她說正在和客戶講話。
下禮拜打給她，她說今天要去洗牙。下個月打給她，她換了
電話號碼。等在她家樓下，她那晚沒有回家。兩個月後，她
打電話問你有沒有年假。你的驕傲作祟，按鈕洗掉她的留
話。兩個月後，你遇到她的好友，想打聽她的近況，又怕她
傳話說你還在關心她。一年之後，你們巧遇在 IKEA。微笑
點頭，好像對方是交通警察。你說妳怎麼燙了頭髮，她說你
怎麼換了鏡架。一起走到櫃台，你讓她先結帳。你買了一個
過濾網，她買了一張雙人床。她掏出信用卡，皮夾裏一名男
子的照片閃閃發光。你突然說有個東西忘了拿，急忙逃開現
場。」

我甩頭大叫：「長痛不如短痛，讓我現在就打電話甩掉
她。」

「你們在一起已經超過一百天，早過了電話分手的有效期限。」

「有效期限？」

「戀愛雖然粗暴，但還有基本禮節。如果你已經進過她的房間，在她家大過便，待的時間超過兩點，認識樓下的管理員，那麼你分手就必須見面。」

「見面幹什麼？」

「還她放在你家的衛生棉，更改保險受益人的表格請她簽，收回你們激情錄影帶的版權，逼她把沾有你的 DNA 的衣服送到洗衣店。請她把她送你的東西點一點，提醒她信用卡已經欠了七八千。最後溫柔地說此事古難全但願人長久千里共嬋娟。」

「我沒有臉見她，我沒有正當的分手理由。」

「這不是問題，讓我教你一些萬用的分手理由：

1. 妳長得太美，在妳面前我感到自卑。

2. 妳長得太高，別人看到我們站在一起會笑。

3. 妳家財萬貫，別人會說我蓄意高攀。

4. 妳對我太好，我怎樣努力都無法回報。

5. 我患有隱疾，不忍心傳染給妳。

6. 我精子數低，將來可能生不出 baby。

7. 我們剛好同姓，小孩可能會有三隻眼睛。

8. 我脾氣暴躁，妳會變成我的出氣包。

9. 我毫無情調，A 片看得都會睡著。

10.　妳是完美女人，但我愛的是強納森。」

「你真是天才！」我讚嘆，「分手的地點呢？」

「最好在新公園，萬一她昏倒可以送台大醫院。不要在五星飯店，因為她很容易說服你再開房間。不要在辦公大樓前，那樣會被同事看見。不要在餐廳裏面，因為刀叉都放在旁邊。」

張寶的智慧讓我充滿希望，我厭倦了做被拋棄的一方，這一次痛苦讓別人嘗。我打給 CSR，正要開口，她先說：「我要和你分手！」

「什麼？」我大叫。

她說：「你對我太好，我怎樣努力都無法回報。」

你開著BMW，載著舒淇，和你的舊情人在街頭「巧遇」。你打開電動窗，隔著戴墨鏡的舒淇，有禮地對舊情人說：「嗨，好久不見，要不要我送妳一程？」

報復

報 復

每一次，我帶著自責祝她們幸福。每一次，自
己躲在公司的廁所裏哭。

報復

上禮拜 CSR 在我要甩掉她之前甩掉我，我羞憤地一個人去吃麻辣火鍋。

「你還好吧？」張寶在火鍋店找到我，不等我回答，先夾起一塊甜不辣。

「我早就知道有這麼一天！」汗水從我額頭流下，「從第一次見面，到一起吸大麻菸，到伸出舌頭亂舔，到使用手銬和皮鞭，到討論蜜月的地點，到爭辯買房子的價錢。整整半年，縱使我們表面上快樂似神仙，我都知道有一天她會發現我的缺點，然後立刻毫無情面，請我給她一點空間。」

「哇……」張寶的肉從嘴邊掉下，「原來她是這麼精采的女人，你介不介意我去約她？」

「你說什麼？」

「我說士可殺不可辱，你要報復！」

我想起過去許多被辜負的痛苦，每一次我都是低下頭來服輸。也許是我長得不夠酷，也許是我不會穿衣服，也許是我沒有讀夠書，也許是我沒有汽車代步。也許是我睡覺會打呼，也許是我一樣菜不會煮，也許是我打牌不會胡，也許是我不敢下賭注。每一次，我帶著自責祝她們幸福。每一次，自己躲在公司的廁所裏哭。

「你要報復！」

「我要報復？」我重複張寶的話，像一隻感冒的鸚鵡。

　　「你是說，暗巷裏把她強暴、背後上來捅她一刀、早上出門時把她撞倒、在她的咖啡裏下毒藥？」

　　「你有這些惡毒的想法很好，不過這樣的懲罰沒有效。」

　　「什麼懲罰會比被撞死更有效？」

　　「心理懲罰。」

　　「心理懲罰？」

　　「身體的傷害頂多持續幾個月，心理的傷害才能到永遠。」張寶點起一根菸，不斷吞著喉結，「看看我，你以為我生下來就是這樣？不，我也曾經和你一樣，相信羅密歐與茱麗葉，每年都在等情人節。縱使她電話從不接，我的情書還是一直寫。保護貞節像保護新皮鞋，被拒絕了還跟她說謝謝。失戀後在家聽古典音樂，一個人逛曾和她走過的通化街。」他停下來，好像要掉眼淚，「今天的我，就是心理傷害的成果！」

　　我打個寒顫，「呼——心理懲罰的確厲害！」

　　「心理懲罰的精義是讓她知道沒有她你會活得更好。」

　　「這哪是什麼心理懲罰？這是流行歌曲。沒有你我會活得更好，沒有我你的膽固醇會高。這是不是阿妹的『原來你什麼都不要』？」

　　「你覺得聽起來熟悉，因為這種方法很有效。」

　　「什麼方法？」

　　「總共十點，你拿筆記下：

　　1. 去做臉，讓自己看起來年輕五歲。

每一次，我帶著自責祝她們幸福。每一次，自己躲在公司的廁所裏哭。

2. 去減肥，讓自己看起來不像烏龜。

3. 去健美，練出突出的手臂。

4. 用落健，收復頭髮的前緣。

5. 去灌腸，徹底消除痔瘡。

6. 學英文，取個洋名叫強納森。

7. 租輛 BMW，天窗常常用。

8. 看報紙要記筆記，搞懂什麼叫快閃記憶體。

9. 家裏不裝答錄機，讓別人以爲你不在乎漏掉他們的 message。

10. 多去參加派對，每次都有不同的女人陪。」

「就這樣？」

「最後，也是最狠的殺手鐧：打聽她回家的路線，開著 BMW，載著一名模特兒——」

「等一下，我不認識任何模特兒。」

「沒關係，我認識舒淇，我替你介紹。」

「你認識舒淇？」

「我朋友的哥哥的老闆的表妹認識，不過這不是重點，重點是你開著BMW，載著舒淇，和你的舊情人在街頭『巧遇』。她在等紅綠燈，你停在斑馬線。你打開電動窗，隔著戴墨鏡的舒淇，貼上你如今瘦削的臉龐，甩一下雄獅般的厚髮，有禮地說：『嗨，好久不見，要不要我送妳一程？』」

我幻想那個場景，自己突然變成電影明星。

「這是報復？」

　　「這是最好的報復！」張寶張開血盆大口吃肉，「除非她身邊剛好是金城武。」

　　我想起那個曾經相信羅密歐與茱麗葉的男孩，想起我和CSR 短暫卻圓滿的愛，想起她對我的傷害，想起所有像她一樣的女孩。我輕聲對張寶說：

　　「你確定舒淇能來？」

殘弱

你看起來必須歷盡滄桑，好像昨天才國破家亡。指甲很長，手掌的繭摸起來像煤礦。沒事眼淚流下臉頰，不准自己或別人擦。點菸時讓火柴燒到指甲，走在路上突然蹲下來撿一朵小花。

脆弱

上禮拜張寶教我如何對 CSR 採取報復行動，卻因為約不到舒淇而美夢成空。

「沒關係，我還認識其他的模特兒。」

「不用找了，」我揮開張寶，「其實我不想報復，其實我還愛著她。」

因為你早上刷牙，會盯著洗手台上她留下的髮夾。因為你低頭沖澡，會撿起她塞住出水口的頭髮。因為當你給客戶打電話，下意識地就撥她的號碼。因為你點牛肉麵，會自然叫老闆不要加辣。因為你去超級市場，會學她任何東西先看標價。因為你從夾克中摸出舊票根，竟是多年前和她去看的「小鬼當家」。

「你這麼愛她，何不回去找她？」

「回去？」我搖搖頭，「我被她甩掉，再回去求她，豈不被她看扁了。我如果堅強一點，一副不在乎的模樣，說不定她還會回來找我。」

「你怎麼會有這種想法？」

「跟你學的。你不是一向鼓吹愛情的權術，常說不懂以退為進就會滿盤皆輸？」

「以退為進是很好的招術，不過你完全誤解了它的用途。此時你越可憐無助，她越可能被你征服。」

「這是什麼高見？你不是一向叫我吹捧自己的優點，約女

133

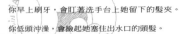

脆弱

你早上刷牙，會盯著洗手台上她留下的髮夾。
你低頭沖澡，會撿起她塞住出水口的頭髮。

生前先傳給她我的 resume。騙她說我是名校的 MBA，華爾街混過好幾年。五年前就知道買台積電，最好的朋友是陳水扁。台大操場可以跑一百圈，回家後還能做餃子餡。做愛一天能好幾遍，結束後不會立刻跑洗手間。」

「這種人總統可以選，但戀愛絕對沾不上邊。」

「爲什麼？」

「因爲女人喜歡脆弱的男人。」

我皺起眉，完全不懂這個概念，「我們一輩子在追求第一：考最好的學校、進最好的公司、拿最高的薪水、搶最好的位置。什麼時候，脆弱反而變成一種優勢？」

「因爲弱者讓女人覺得被需要，讓她們覺得自己在主導。你是她的寶寶，除了她沒人要。你站起來就會搖，於是永遠跑不了。」

「你是說，追女人其實不用力求表現？」

「沒錯，吃飯時讓她付錢，做愛時讓她在上面。一旦你拋下男子尊嚴，她反而會多愛你一點。」

「那要怎樣才能成爲弱者，是不是以後見到女人都要裝得病懨懨，好像得了肺炎？」

「不不不，肉體上你還是得非常強健，但心靈上你必須是廢墟一片。女人不願意當護士，但搶著做心理醫師。」

「怎樣才能表現心靈的脆弱？」

「首先，你看起來必須歷盡滄桑，好像昨天才國破家亡。頭髮最好垂到肩膀，斜斜蓋過半個臉龐。指甲很長，手掌的

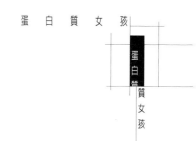

繭摸起來像煤礦。聲音沙啞，一碗飯都吃不光。手機用
T28，打通後常常不講話。沒事眼淚流下臉頰，不准自己或
別人擦。點菸時讓火柴燒到指甲，走在路上突然蹲下來撿一
朵小花。」

「老天，我很難達到這種期望。我頭禿得發亮，手掌摸起
來都是脂肪。」

「那你必須配帶一些特別的飾品，像項鍊、戒指、耳環，
她會問你這從哪來，你就可以開始敘述自己的悲慘……」

「比如說？」

「1. 相戀十年的女友跟我拜拜，嫁給認識一個月的小開。
　　但我仍將撫養她和前夫的小孩，因為我相信在心靈上
　　我們永遠相愛。」

「好慘！」不要說女人，連我都已經痛不欲生。

「2. 高中的女友車禍喪生，二十年來我無法再愛別人。每
　　天五點我在北一女門口等，逢人就問你認不認識我的
　　小珍。

　3. 我的女友被壞人強暴，她怕我嫌她而主動和我斷交。
　　十年來我每天到她家送報，總是用一封情書蓋住報紙
　　的頭條。

　4. 當兵時一場意外讓我不能人道，我的女友開始和同事
　　亂搞。有一天他們帶了我的錢捲款潛逃，順手污了我
　　的香港腳藥膏。

　5. 年輕時我混過太保，為朋友頂罪坐過牢。朋友趁機搶

脆 弱

你早上刷牙，會盯著洗手台上她留下的髮夾。
你低頭沖澡，會撿起她塞住出水口的頭髮。

　　走我的女友，如今他們已有三個寶寶。

6. 為了替父親償還賭債，正職外我有三個兼差。一晚累
　　得發生車禍，現在走路都會一拐一拐。」

「不要說了！」我聲淚俱下。

「這些故事讓女人抱住你的肩膀，把你的頭放在她的胸
膛。這些故事讓她們變成媽媽，你變成她們保護的對象。她
對你不再嚴加提防，你很快就能爬到她們床上。」

「兒子愛媽媽，你難道不怕世人口誅筆伐？」

「你難道沒有聽過伊底帕斯？這種事又不是從我開始。」

　　我想起 CSR，考慮要不要認她做媽。我拿起電話，雙手
開始發麻。

她主動住到你家，就是一種上床的邀請。你以逸待勞，不費一卒一兵。一般女子你要甜言蜜語，搞了半天她還欲迎還拒。這名女子一上場就丟白毛巾，你還站在一邊不解風情。

訪客

上禮拜張寶要我認 CSR 做媽，我因為拋不下面子而作罷。禮拜二接到一通長途電話，以前在美國的朋友問回台灣能不能暫住我家。

「是『朋友』還是『女朋友』？」張寶問。

「這就是我迷惑的地方。我曾對她有興趣，不過她拒我於千里。第一次約她看電影她說頭暈，第二次說她要練鋼琴，第三次說摔破了眼鏡，第四次說對戲院椅子的材質過敏。後來我去打聽，才知道她視力2.0，而且根本不懂ㄅㄛ ㄇㄨㄝ ㄇㄧ。」

「豈有此理，過敏的藉口是我的發明，我要向她收權利金！」

「總之當年是落花有意流水無情。」

「顯然她現在回心轉意，想和你重譜戀曲。」

「也許她只是想省旅館錢，看上我家就在捷運站旁邊。加上我從來不抽菸，房間乾淨得像五星飯店。」

「你怎麼這麼沒自信？她選上你是因為要重新愛你，不是要占你便宜。」

我姑且相信，買了一張沙發床放在客廳。色情雜誌藏到抽屜，獎狀擦得亮晶晶。

「這是什麼？」張寶指著沙發床。

「我想把臥房讓給她，自己暫時睡沙發床。」

「是她要求的嗎？」

「沒有，我只是想盡地主之誼。」

「你是真笨還是藉拘謹來增加魅力？她主動住到你家，就是一種上床的邀請。你以逸待勞，不花費一卒一兵。一般女子你要甜言蜜語，搞了半天她還欲迎還拒。這名女子一上場就丟白毛巾，你還站在一邊不解風情。」

「你講得好像她大老遠從美國來和我發生性關係！」

「也許她是來看故宮的瓷器，也許她要去參觀台灣水泥。不過她對你絕對不安好心，而且希望很快達到目的。三年不見，她一開口就要住你家裏。她怎麼知道你沒有和人同居，怎麼知道你不是和你媽住一起？」

「沒錯，她是沒問這些問題。」

「這表示她已經打聽過你的消息，知道你一個人孤苦無依。夜裏瞪著牆上的冷氣，咒罵白天的客戶不是東西。碗盤在水池中堆積，唯一的娛樂是修家裏的電器。她知道你現在不堪一擊，任何女人出現你都會束手就擒。」

「這太可怕了，我雖然對她有好感，但還不想和她發生關係。萬一她硬要和我睡在一起，我該如何保衛自己？」

「這一套方法叫『自我降級』，目的是讓自己完全沒有吸引力。首先把洗澡的水溫降低，讓所有器官縮小體積。然後整晚躲在廁所裏，告訴她你又開始便秘。臉故意不洗，頭髮弄得很油膩。睡衣的釦子完全扣齊，睡褲口袋放一支鋼筆。上床後不斷打噴嚏，不准她關掉電視機。坐起來剝腳底的

你碰到她時立刻對不起，她來摸你你立刻放屁。她若說想不想找一點刺激，你說我們可以來下象棋。

皮，對著她把青春痘擠一擠。開始告訴她你的性怪癖，衣櫃裏有一打女性內衣。在床上吃東西，讓枕頭爬螞蟻。床頭音響放著佛經，國父遺像掛在牆壁。保險套丟到垃圾桶裏，提醒她她現在在經期。你碰到她時立刻對不起，她來摸你你立刻放屁。她若說想不想找一點刺激，你說我們可以來下象棋。床前的小燈絕對不熄，打呼打到驚天動地。」

「但萬一她穿了一件維多利亞的祕密？」

「那你就要轉移注意力。」

「怎麼轉移？」

「眼睛緊閉、停止呼吸。把她想像成一件機場拿錯的行李，裏面裝滿不屬於你的東西。只要你原封不動地歸還，航空公司就會給你一大筆賠償金。但如果你勉強打開，會發現裏面是走私的海洛因。」

「不過我這樣彆扭，會不會失去和她成為男女朋友的機會？」

「剛好相反。你沒有邪念，腦袋會比較清醒。這正是你觀察她的最好時機。她如果中午不起床，國際電話一直講，那你不必再和她交往。她如果補足冰箱吃掉的東西，臨走前把床單洗乾淨，那她也許是你的終身伴侶。」

我收起沙發床，當晚在床上練習如何偽裝。第二天晚上電鈴響，我打開門正要和她約法三章，她說：

「嗨，謝謝你招待我們，這是我的男友強納森。」

你會寂寞，因為你住得很高、吃得太飽、家裏聽不到狗叫，過分使用E-mail
……

感覺有角

感　覺　有　角
我打開電視數有多少頻道在賣藥，不斷按手機
看有沒有新的voice mail。

感覺有角

　　上禮拜我的訪客和她男友在我的臥房裏尖叫，他們走後我躺在那張床上再也睡不著。我打開電視數有多少頻道在賣藥，不斷按手機看有沒有新的 voice mail。

　　「你寂寞時都做些什麼？」第二天我問張寶。

　　「『寂寞』？」張寶搖頭，「寂寞是一種很有深度的情緒，我從不寂寞。不過我倒時常感覺有角。」

　　「『感覺有角』？」

　　「英文的 horny，就是突然覺得很色。眼睛向女人一直瞟，雞尾酒開始調一調。把她的裙子撩一撩，看看她會不會突然大叫。不會的話開始摸一摸她的腰，然後親一親她的腳。接著把她咬一咬，最後再搖一搖。」

　　「你怎麼會有這麼骯髒的想法？」

　　「骯髒？根據哈佛大學的報告，男人每三分鐘就會感覺有角。我一天不過兩三次，已經算是乖寶寶！」

　　「那我是不是不正常？有時我一個禮拜才想一次女人，而且興致不會很高。」

　　「你沒有不正常，你只是把那些有角的感覺內化，美其名為寂寞而已。」

　　我想起那些周日下午，一個人坐在家裏感到沒有出路。打開電視看 Winnie the Pooh，兩分鐘就開始打呼。翻著邊緣縐摺的電話簿，斟酌著打給誰不會太唐突。最後選定大學學

妹 Amy 吳，她當年好像向我借過一本書。她說喂時聲音很冷酷，顯然正要出門被你耽誤。突然間你六神無主，電話掛得非常急促。你開始練中國功夫，十分鐘蹲不好一個馬步。此時房東打電話來催房租，你說對不起我要去關電爐。掛下電話你抓起一把泥土，倒在沙發上把臉敷一敷。鏡子裏你頭已經開始禿，拉緊皮帶也擋不住小腹。電話再度響起，你高興地站不穩腳步。你以爲學妹想起你過去對她的好，原來是 TVBS 在做民調。你說我很樂意回答問題，你願不願意和我出來聊聊。此時你聞到一股怪味，廚房的午餐已經燒焦。

「你何必苦守寒窯？你忍不住寂寞，就要趕快開竅。」

「怎麼說？」

「你會寂寞，因爲你住得很高、吃得太飽、家裏聽不到狗叫，過分使用 E-mail。如果你住的地方像我一樣吵，家裏小得像監牢，每餐都吃冷凍水餃，吃進去沒時間嚼，包準你這些毛病立刻就好。」

「你是說……」

「我是說寂寞是有錢人的嗜好，他們吃飽飯沒事幹於是開始龜毛。」

「那你感覺有角時都怎麼辦？」

「首先，你到國父紀念館跑一跑，最好累到摔跤。加入歐巴桑的健身操，安慰自己得不到的女人有一天都會像她們一樣老。回來後洗冷水澡，冰到你跳起來大叫。嘴巴含著辣椒，眼睛裏沾滿肥皂。浴缸裏丟許多葡萄，洗完後一個都不

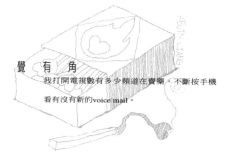

感 覺 有 角

我打開電視數有多少頻道在賣藥，不斷按手機

看有沒有新的voice mail。

能破掉。」

「幹嘛這樣折磨自己？」

「通常感覺有角，是因為內分泌失調。你如果不想打針吃藥，身體的鍛鍊就不能少。」

「你是說，只要身體強健，就不會有寂寞的煩惱？」

「不只身體，訓練意志力也非常重要。我會突然間拔鼻毛，單手點眼藥膏。用筷子吃豆腐腦，身體癢絕對不搔。夜裏不看彩虹頻道，推開上來搭訕的老鴇。派對上打扮成人妖，任由陌生人嘲笑。上酒家若被女友抓到，跪在她公司的門口求饒。」

「我臉皮很薄，這些事我做不到。你還有什麼解藥？」

「那你只剩下逛明曜。」

「明曜？」

「化妝品專櫃的美女，她們自然會對你好。」

「我又不用化妝品，湊什麼熱鬧？」

「你就說是買給女友。」

「你有了女友，她們還會對你有興趣？」

「你難道不知道，越得不到的東西，我們就越想要。」

「我不懂……」

「越漂亮的女人自信越高，她們相信任何男人碰到她們都逃不了。她們看不上帥哥或富豪，卻喜歡和有婦之夫亂搞。她們的愛情不在交換情意，而在證明自己。」

「也許這些專櫃美女的動機只在金錢交易，她對你微笑，

因爲你增加了她的業績。」

　　「那更好，如果她們的動機是新台幣，我們的互動就更有趣。她表面上不斷地讚美你，心裏只想你趕快在帳單上簽名。某種程度上，這像⋯⋯」

　　我正要說⋯⋯

　　「你不用分析得這麼徹底。」

　　「你會爲此而感到刺激？」

　　他微笑。我看著張寶，原本感覺有角，現在心裏發毛。

淑女之夜

　　崔西戴紫色墨鏡，皮膚白得像宮
保雞丁。珍妮擦藍色眼影，瘦得像非
洲難民。崔西拿出Virginia Slim，
張寶拿出都朋打火機，珍妮蹺起腳上
的Gucci，這時突然有人放屁……

淑女之夜

上禮拜張寶教我如何應付感覺有角，我試了所有的方法
都沒效。

「我帶你去舞廳參加淑女之夜，這會是最好的治療！」

舞廳走了一圈，我再也沒有寂寞的感覺。

「十二點方向坐著兩個冰箱，你有沒有膽量？」

我點頭，拉挺西裝。她們坐在角落，等著大企業的小
開。我們拿著啤酒瓶撐在吧台，努力讓自己看起來很壞。她
們看我們走近，假裝開始玩桌上的濕巾。張寶說小姐我們可
不可以坐在這裏，她故作驚訝好像不知我們是何用意。她把
皮包移開，裏面的保險套掉出來。我們裝作沒有看見，心裏
卻開始感謝老天。張寶說我叫查理，這是我的朋友傑利。她
說我是崔西，這是我的同事珍妮。大家都有默契不問真名，
同時關掉口袋的手機。崔西戴紫色墨鏡，皮膚白得像宮保雞
丁。珍妮擦藍色眼影，瘦得像非洲難民。崔西拿出Virginia
Slim，張寶拿出都朋打火機，珍妮蹺起腳上的 Gucci，這時突
然有人放屁。

「我喜歡這首歌曲！」

機靈的張寶立刻帶我們遠離災區，熱舞中我們開始互相
猜忌。張寶和我的表情大智若愚，心裏卻想這兩個美女絕對
不能娶。崔西和珍妮開始用嘴巴呼吸，心想誰知道這兩個男
的還有什麼隱疾。

淑

妳的腿很長，我想徹夜在旁邊站崗。妳的絲襪
若隱若現，可不可以借給我做蚊帳？

「想喝什麼東西？」回到座位，張寶試圖扭轉危機。

崔西點 Brandy，珍妮點 Whisky。我心想這下可不便宜，張寶卻想酒精越多對我們越有利。

「妳們常來嗎？」

「我們第一次來這裏。」

鬼才相信。

「你們做哪一行？」崔西反問。

「我們在銀行。」

「哪一家？」

張寶停頓了一下，不知道該不該造假。104 可以查到公司的電話，她可以在公司門口等你回家。萬一她將來肚子變大，要整你有很多辦法。

「艾爾史密斯。」

「我從來沒聽過這家銀行。」

「我們是一家小的瑞士銀行，一年前才進台灣。」

這一方面是扯謊，一方面也要確定她們不是同行。萬一她將來可能是你的 account，今晚最好不要在她面前脫光。

「你們在公司負責什麼？」

「我們做衍生性商品。」

任何聚會中你若想轉移話題，只要說出深奧的「衍生性商品」。果然她們立刻失去興趣，眼光開始在舞廳內游移。張寶進入第二局，談她們穿戴的東西。

「這件是不是 Prada？」

「你怎麼知道？」

「Prada 就是要像妳這麼瘦的人穿才好看。」

張寶間接地灌她迷湯，讓她高興卻不至於提防。妳口紅的顏色很漂亮，搭配妳白皙的皮膚十分理想。妳穿白色閃閃發光，好像茱麗亞蘿勃茲演落跑新娘。妳是不是從來不下廚房，為什麼身上聞起來這麼香？妳的鞋子很特別，脫下時需不需要我幫忙？妳的腿又美又長，我想徹夜在旁邊站崗。妳的絲襪若隱若現，可不可以借給我做蚊帳？

崔西牽起嘴角，露出今晚第一個微笑。珍妮拿出手機檢查留言，不滿意崔西變成全場焦點。張寶機警地說：「珍妮是不是混血兒？」

她放下手機，看張寶的方向。

「妳長得像……那個……那個明星……」

「藤原紀香！」我補上，「是不是很多人這麼講？」

她甩一甩長髮，巴不得立刻拿出鏡子端詳。崔西問：「你們是不是常這樣一搭一唱？」

突然間氣氛有點緊張，我不知道下一句話怎麼講。張寶解圍說：「只有當對方非常漂亮。」

她摸摸張寶肩膀，讚許他沒有棄子投降。張寶斜眼看她手掌，開始計畫下一攤的地方。

「對不起，我去洗手間一下。」

「我也去。」

比賽叫停，我們勝利在望。她們會在廁所補妝，討論我

淑 女 之 夜

妳的腿很長，我想徹夜在旁邊站崗。妳的絲襪

若隱若現，可不可以借給我做蚊帳？

們兩個是不是正常。查理非常油滑，但的確有不錯的長相。傑利都不講話，悶騷的爆發力也許更強。她們分配好誰由誰上，回座位時就自動坐到那個人身旁。她們會放鬆往後躺，裝出微醉的模樣。笑時頭九十度往後仰，手自然掉到你腿上。其實她們清醒得可以算 8 的 5 次方，這個月的安全期有多長。裝醉只是提醒你幫她們結帳，然後帶她們轉移戰場。

「想不想去吃消夜？」張寶問。

「去哪裏？」

「妳說呢？」

她說我們先離開這個地方，張寶迅速握著她的手不放。我們穿過層層的人牆，吸引到許多羨慕的眼光。匆匆吃過消夜，我們站在店門口討論誰往哪個方向。張寶和崔西往忠孝東路，我和珍妮往南門市場。我知道張寶會和她上床，今晚將是一場硬仗。我會在計程車上不斷掙扎，最後還是送她回家。

第二天張寶問我爲什麼這麼傻。

「因爲我還想著 CSR。」

男人變心，很容易回心轉意。女人變心，通常就是戀曲的結局。

戀心

你們的愛變成商業套餐，什麼都有但吃起來沒有口感。

變心

上禮拜張寶帶我去舞廳，每個女人身上我都看到 CSR 的倩影。

「你醒醒吧，CSR 不可能回來。」張寶潑我冷水。

「為什麼？我和女人分手常常反悔，每次都跑回她家門口下跪。女人的心應該也可以挽回，我只要多送幾朵玫瑰。」

「男人變心，很容易回心轉意。女人變心，通常就是戀曲的結局。」

我想起過去變心的經驗，每次都持續不了幾天。只要她睜一隻眼閉一隻眼，通常就能破鏡重圓。和她在一起十分自然，沒有急欲表現的不安。一早起床可以共進早餐，她沒有化妝還是能看。她的飯總是給你半碗，盯著你要把青菜吃完。下班後約在捷運車站，願意跟你去吃路邊攤。晚上坐在家看 X 檔案，廣告時不需要刻意交談。睡前她會提醒你錄影帶該拿去還，白襯衫明天一定要換。你們對彼此的存在都已習慣，她對你的好是理所當然。你們的愛變成商業套餐，什麼都有但吃起來沒有口感。派對上你認識了另一個女孩，年紀輕輕卻發育得很快。和她你玩笑可以亂開，不時手還可以隨便亂擺。她抽菸喝酒和你打牌，談到一夜情她見怪不怪。一晚她留你看「七夜怪談」，你打電話回去說要徹夜加班。第二天你提出分手的要求，衣服收了立刻就走。一個月後年輕女孩認識了小開，離開時甚至沒說拜拜。這時你才知道最美

的還是舊愛，持久的感情往往表面是一片空白。你做了她最喜歡吃的蘋果派，守在她家門口唱「往日情懷」。你詛咒自己的祖宗八代，怎麼生出我這種不識好歹的蠢材！

「沒錯，」張寶說，「男人很不成熟，像一塊煮不透的狗肉。他們變心只是受到肉體的刺激，有時根本身不由己。」

「那女人呢？」

「女人很難愛上你，但愛上你就死心塌地。第一次見面你一見鍾情，她甚至連你的名字都記不清。第二天你約她看電影，還得描述昨晚的衣著和髮型。三個月後她答應和你出去，臨時取消只因為當天下雨。半年後她讓你牽她的手，送她回家卻不許你上樓。一年後她請你上去喝咖啡，不是暗示而是她家電梯鬧鬼。兩年後她讓你進她的臥房，只因為你學電腦而她的滑鼠不太靈光。三年後她終於和你上床，此後每天便黏著你不放。她為你準備早餐，一星期只能吃三個蛋。維他命ABCD，每天一定要各吃一粒。襪子逼你每天要換，刷牙的方法她都要管。報紙不准丟在地上，杯子用完要放回廚房。上班時打電話給你，問你度假想不想去夏威夷？你知道辦公室很多男生在追她，每個都有比你高的學歷。其中一個一百八十幾，拍廣告賣卡文克萊的內衣。另外一個頗有才氣，聽說以前寫過三少四壯集。她對他們都嚴辭以拒，送的花直接丟到垃圾桶裏。你們的合照她放在電腦前，每個人走到她位子都會看見。你第一次出軌騙她說在公司加班，其實你在一家廉價的旅館。第二次出軌騙她到高雄出差，沒接電

153

戀心

你們的愛變成商業套餐，什麼都有但吃起來沒有口感。

話因為手機忘了帶。第三次你騙她說好友有了感情危機，你必須陪他免得他從陽台跳下去。沒想到她的朋友在街上看到你，你摟著的女人穿著 D&G。她說你為什麼要對我說謊，你說我們的愛早已名存實亡。你搬走後她公司的男士趁虛而入，她和他們出去仍穿你送給她的衣服。」

「你是說女人會癡情到底，永不變心？」

「她們愛你時都用了真感情，所有不可能一下子全面撤軍。她們變心時比較理性，利弊得失都一定想清。然而一旦下了決定，她們往往比男人還要狠心。當你第一次回頭求她原諒，她想起你們曾發誓要有難同當。她說服自己男人犯錯十分平常，反而怪那個女人太過放蕩。當你第二次求她原諒，她已經真正受傷。但孤單的日子她不願再嚐，接受你但不再對你有太大的期望。當你第三次出軌被她抓到，她知道你已經無可救藥。她分手信寫得很潦草，但下筆的力道如同一把刀。你對她是一串沒有做成酒的葡萄，一張留到最後卻沒有中獎的統一發票。」

「你是說……」

「我是說 CSR 不會回來，你越早明白這個道理越好。她愛你時你覺得沒什麼大不了，如今你只剩下單人床和安眠藥。」

我低下頭，試著把她忘掉。

兩個人發生關係後，男人最快也
應該等五天才和女方聯絡。這五天就
是男孩時間⋯⋯

男孩時間

男孩時間

上禮拜張寶勸我忘掉 CSR，方法是每天在我面前講她的八卦。

「夠了，你不需要污衊她，」我轉移話題，「你上上禮拜不是在舞廳認識一名美女，你怎麼都不約她出去？」

「出去幹嘛？」

「你那晚不是和她……」

「那又怎樣？」

「這是基本禮儀，親密後第二天要對她特別關心，一早就快遞鮮花和巧克力。如果她是第一次，你甚至應該請假陪她，解釋懷孕沒有那麼容易，如果有事你會負責到底。」

「她不是。」

「那你至少也該和她共進晚餐，表示你不是得手後就變得冷淡。」

「我跟她說我要去舊金山，免得她跑到辦公室找我麻煩。」

「你怎麼可以這麼無情？」我說，「她和你萍水相逢，上床只是一時衝動。也許因為你長得像謝霆鋒，也許因為她的寂寞沒有人懂。你早晨醒來逃之夭夭，她正熟睡你叫都不叫。你早上沒和她聯絡，她午飯吃得不多。你下午不和她聯絡，卻和同事誇耀你的戰果。她想打電話給你，才發現根本不知道你的姓。她充滿恐懼不安，害怕你只是跟她玩玩。此

時你應該送她一束花，卡片上寫謝謝妳讓我長大。晚上再陪她去洗頭髮，說我隨時願意去見妳爸媽。」

「你都是這樣？」

「我沒有經驗，但書上都這麼講。」

「眞是噁心，」張寶不屑地說，「你以爲你這是純情？其實根本是頭腦不清！」

「我在她懷疑時給她肯定，後悔時告訴她這不是一夜情。這是仁至義盡，怎麼能算頭腦不清？」

「這就像第一次去看房子就達成交易，不看地契也不檢查鋼筋。一廂情願地立下誓言，你沒有給自己一點男孩時間。」

「『男孩時間』？」

「你有沒有看過史上最偉大的電影？」

「奧森威爾斯的『大國民』？」

「不，愛莉西亞席維史東的『獨領風騷』。片中說聰明的男人在發生關係後，最快要等五天才和女方聯絡。這五天就是男孩時間。」

「喔——我懂了，這五天你要讓女孩子寢食難安，後悔沒有吃避孕丸。一方面懷念你那晚的激情，一方面害怕你不是眞心。這樣你就可以增加自己的權力，讓她以後一切聽命於你。天啊，你眞卑鄙！」

「你很有悟性，」張寶嘉許，「不過等五天也不完全是欲迎還拒，更是要讓雙方頭腦清醒，想想怎麼走下一步棋？」

「有什麼好想的，你愛她，你和她發生關係，你娶她，你

157

男 孩 時 間

有一天她不再美麗我願不願意推她的輪椅？有
一天她不再年輕我願不願意幫她換點滴？

們一輩子在一起。」

「不是每個人都和你有相同的次序。有的人其實討厭她的個性，卻無法抗拒她的身體。送了幾千塊的鮮花巧克力，終於脫掉了她的內衣。幾秒鐘的翻天覆地，結束後竟覺得如此而已。初識時她高不可及，到頭來也不過這樣容易。所以第二天他要好好想想，她值不值得付出感情？她除了鞋子還有沒有別的收集？她除了髮型還有沒有別的興趣？她除了「How much? How much?」還有沒有別的問句？她除了「Do it! Do it!」還會不會說其他的片語？我除了新台幣還能給她什麼東西？衣服脫下後我們還能不能讓彼此好奇？有一天她不再美麗我願不願意推她的輪椅？有一天她不再年輕我願不願意幫她換點滴？你花五天把這些問題釐清，接下來就可以做個負責任的決定。如果你求仁得仁不想繼續，至少她學到像你這種男人以後要保持距離。如果你捨身取義願意開始了解她心靈，搞不好會發現她其實讀過杜斯妥也夫斯基。」

張寶的口水濺到我的眼鏡，他繼續，「但如果你第二天就和她聯絡，把持不住一定又會去翻雲覆雨。肉體這樣馬不停蹄，心靈反省哪會徹底？要不然就是立刻說我愛妳，那也是因為昨晚意猶未盡。心想只要每天能有一次，她是木頭都沒有關係。」

「我是會說我愛她，但動機絕不是性！」

「那就是廉價的溫情主義，或是急欲負責的虛榮心。你要證明你和別的男人不同，於是糊塗地犧牲了自己。你怎麼知

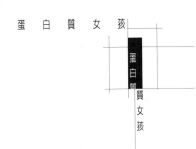

道她們都想再見到你？搞不好那一夜是各取所需，她們也達到了目的。她巴不得再也不要見到你，才可以去找別的刺激！」

「虛榮心？你怎麼能這樣扭曲我的動機？」

「我有扭曲嗎？」張寶冷笑，「如果你做的都是成熟的決定，爲什麼你所有的女友，包括CSR，最後都會離開你？」

他一箭穿心，我撞倒桌椅。像汽球洩了氣，我窒息。

壞女孩

　　她批評你牆上的畫，說看起來像
我昨晚吃剩的披薩。她沖完澡走出
來，劈頭問你我胸部是不是有點塌。
她半夜不睡覺，躺著看少女漫畫。一
早站上跑步機，運動裝緊得像蝙蝠俠
……

壞女孩

　　上禮拜張寶在保留男孩時間，我和在舞廳認識的珍妮見面。

　　「她怎麼樣？」張寶問。

　　「她請我進她房間，隨即關上窗簾。她喜歡做各種實驗，和她在一起我需要買保險。」

　　「你喜歡她嗎？」

　　「喜歡。但我的理智告訴我喜歡她會有麻煩。」

　　「為什麼？」

　　「她感覺上……像一個壞女孩。」

　　是的，你是乖乖牌，她是壞女孩，她讓你感到不自在，你懷疑她曾經下海。國中時她們都坐在後排，發育比別的女生要快。劉海的頭髮有一撮故意染白，改窄的裙子短過膝蓋。襯衫的鈕子打開，短袖的袖子還捲起來。走路時口香糖嚼得很快，頭總是往一邊歪。一包長壽放在口袋，小抄夾在內衣裙襬。下課後外校的男友來載，可能是陪她去診所墮胎。

　　高中後你們分道揚鑣，之後你認識的都是乖寶寶。她是校刊的主編，讀過原版的資治通鑑。她是合唱團的團長，五歲就會彈蕭邦。她們都戴著厚重的眼鏡，身材出奇地平。講話的聲音非常好聽，稱呼每一個人都用「您」。手帕一定每天換新，下車總是記得拉鈴。模擬考都是班上第一，最拿手的是三民主義。

　　你們都考進台大的科系，整天忙著烤肉和迎新。社團參

壞女孩

她請我進她房間，隨即關上窗簾。她喜歡做各種實驗，和她在一起我需要買保險。

加得十分起勁，動不動就討論救國救民。畢業後你們都去美國留學，爸媽付錢讓你們衣食不缺。回國後都在外商做事，每個人都有英文名字。生活範圍局限在台北東區，沒有 Starbucks 就活不下去。喜歡看 Discovery，沒聽過霹靂布袋戲。2000年總統選舉，都投給了宋楚瑜。

「你們活在一個被保護的世界，」張寶說，「雖然每天上街，其實活得與世隔絕。那些和你們背景不同的人，統統被你貼上標籤。他的頭髮梳得漂亮，一定是同性戀。她很會化妝，一定每天和人上床。她不在乎投資理財，眼光一定很狹窄。她沒聽過電子商務，真是無知的幸福。因為她們不認同你的價值觀，你在她們面前就失去了安全感。於是你自然地排斥她們，把她們列為壞女孩。」

「我沒有排斥她們，說來奇怪，正因為她是壞女孩，我反而更迷戀她的風采。」

「哦？」

「因為她不按牌理出牌，因為她的個性隨時會引起火災。她不會等你先打電話，聽到你的聲音還故意裝傻。她不會收了你的花，卻丟掉你寫的卡。她不會 forward 一堆笑話，然後質問你為什麼不回答。她不會一邊談生涯規畫，一邊問你她該不該去染髮。她不會打電話給你，又頻頻去接大哥大。她不會坐進計程車，要你幫她記車牌號碼。她半夜跑到樓下，說今晚可不可以借睡你的沙發。她進來後先說你家真大，下一句突然說「我今天沒有穿 bra」。她批評你牆上的

畫，說看起來像我昨晚吃剩的披薩。她在客廳更衣，你走過時剛好在脫絲襪。她沖完澡走出來，劈頭問你我胸部是不是有點塌。她半夜不睡覺，躺著看少女漫畫。一早站上跑步機，運動裝緊得像蝙蝠俠。你說我晚上請妳吃飯，她說我今晚已有好幾攤。你還是去找個好女孩，我這種女人太複雜。」

「她說得對，你搞不過她。」

「正因為如此，我覺得完全解放。她直來直往，情緒寫在臉上。我不用費心猜測，每天忙著破解密碼。我恢復了動物的本能，重拾幼年的純真。我不再使用大腦，全身輕飄飄。」

「天啊，她是不是給你吃了藥？」

「我不知道她給我吃的是什麼，不過我的心情的確變得很好。」

「聽著，」張寶把我從椅子上揪起來，「你必須馬上和她分開。」

「你剛才不是還叫我不要歧視壞女孩？」

「你不是真的愛她，只是想逃避乖女孩給你的挫敗。或者想滿足你的優越感，讓她覺得和你在一起是高攀。珍妮是世界奇觀，第一眼看到難免流連忘返。但她就像尼加拉瓜大瀑布，遠看心曠神怡，跳進去就死無葬身之地。」

「但我想認識她，了解她。」

「你沒有本錢了解她。她追求慾望和本能，你崇尚理智和安穩。她穿豹紋熱褲，你穿三件式西服。你想結婚，她要私奔。結婚你想請連戰致詞，她想找舞龍舞獅。蜜月旅行你要

壞 女孩

她請我進她房間，隨即關上窗簾。她喜歡做各

種實驗，和她在一起我需要買保險。

先上網收集資料，她說到了中正機場再思考。避孕措施你堅持用保險套，她說沒關係今天我體溫不高。投資理財你想貸款買房子，她說我想要新款的賓士。計畫退休你準備買定時定額的基金，她說我們四十歲就跳樓殉情。」

此時珍妮跑到我們公司大廳，對著警衛破口大罵。

「愛她像革命，但你屬於中產階級。」

我聽著珍妮潑婦的聲音，不知該不該起義。

她問你眼睛怎麼有點紅，手上怎麼貼了一個OK繃。你問她臉頰怎麼有點腫，是不是男朋友對你兇。她說你是不是還喜歡盧貝松，咖啡依然喝得很濃。你說妳是不是還喜歡蘇有朋，排一小時也要擠進鼎泰豐……

分手後的政治

分手後的政治

上禮拜我愛上了壞女孩，張寶的手機兩天沒開。

「昨晚我遇到蛋白質女孩，」張寶說，「突然間我又墜入情海……」

「蛋白質女孩？」

「她是我半年前的女友，品性端正長相清秀。重要關頭不會害羞，對我過去的性行為既往不咎。」

「這樣好的女孩，你怎麼會讓她溜走？」

「因為我是個混球！」

「好，讓我猜猜，你與她重逢，發現自己仍對她情有獨鍾。後來認識的女友，一個比一個像兒童。你買的書她們嫌重，你講的笑話她們不懂。每晚在家搶電視搖控，爭吵誰要去清垃圾桶。你想告訴蛋白質女孩過去半年只是南柯一夢，沒有她你的生命是一場空。」

「你怎麼會這麼想？」

「因為我曾和你有相同的感動。你和舊愛在街頭重逢，突然間變得柔情萬種。小雨劃過陰沉的天空，四周是月朦朧鳥朦朧。她的長髮仍令你心動，她的眼神仍令你惶恐。你表面上裝得輕鬆，腿卻不停地抖動。她問你眼睛怎麼有點紅，手上怎麼貼了一個 OK 繃。你問她臉頰怎麼有點腫，是不是男朋友對你兇。她說你是不是還喜歡盧貝松，咖啡依然喝得很濃。吃飯總要加肉鬆，起士還不可以有洞。你說妳是不是還

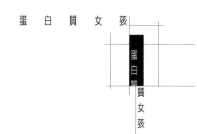

蛋
白
質
女
孩

喜歡蘇有朋，豬肝是不是還不敢碰。排一小時也要擠進鼎泰豐，一口一個蟹粉小籠。她說這些年來寫信給你，卻不敢丟進郵筒。猜想你有了新情人，她對你言聽計從。你說這些年來我常做夢，夢到妳我獨自坐在聖母峰。我們掉進對方的瞳孔，直到身體完全結凍。她說當年我們常去的一條龍，如今改裝給 Y 世代打電動。你說我們看異形的欣欣大眾，如今旁邊變成六條通。她說你襯衫手肘處是不是還常破洞，破了之後誰幫你縫。你說妳爸爸對妳是不是還很寵，追問打電話來的男生的八代祖宗。她說當年我們唱古老的東方有一條龍，和羅大佑一樣相信自己是未來的主人翁。我說如今流行的是學黑人跳舞的陳曉東，講話越毒的明星越紅。她說記不記得當年我們懵懵懂懂，立下許多海誓山盟。我說如今我們被貸款逼瘋，每天祈禱刮刮樂會中。她說記不記得——」

「等等，等等，」張寶打岔，「你講得很浪漫，不過和我昨天的遭遇完全不同。我對蛋白質女孩已沒有感覺，連交換新名片都興致缺缺。她現在臉胖得像肉粽，穿著邋遢得像菲傭。」

「那你怎麼會墜入情海？」

「我愛上的是和她走在一起的朋友！」

「什麼？」

「我和舊愛在街頭重逢，突然間變得柔情萬種。她向我傾訴這些年來的變動，我一直偷瞄她朋友堅挺的雙峰。她問我是不是還喜歡盧貝松，我在想她朋友看電影會不會有空。她

說要不要去喝個卡布奇諾，我只想單獨和她朋友你儂我儂。我盤算狡兔死走狗烹，要認識她朋友得從她著手。所以我表面上把蛋白質哄一哄，說眞高興妳有一個好友生死與共。心裏希望她們趕快內鬨，這樣我才能向她朋友進攻。」

「可是，你總不好意思在蛋白質女孩面前約她朋友。」

「沒錯，對待她朋友就像對待大陸，不能台獨，也不急著三通。蛋白質女孩就像香港，透過她最有保障。」

「你希望蛋白質女孩幫你追求她？」

「你當然不能讓蛋白質覺得你在利用她。你要先假裝關心蛋白質的近況，問她最近忙不忙。平常有沒有上網，寂寞時是不是一個人泡浴缸。她自然會談到某某某是我的死黨，所有的店我們都一起逛。你說妳們氣質很像，外表漂亮但不至於囂張。她說謝謝你的誇獎，我的朋友還沒有對象。你說這怎麼可能，我以爲追妳們的男人好幾打。她告訴我她朋友的電話，說她每晚九點以後都在家。你說我約她也只是想起妳，永遠會挑剔她如何比妳差。她說你不要太傻，我希望你能夠愛上她。將來生一個胖娃娃，我還可以當乾媽。」

「萬一她沒有這麼偉大，覺得你追她朋友是在羞辱她？」

「那你就要背著她暗中進行。打聽這女子下班的路徑，無意間和她巧遇。和她等同樣的公車，問她肚子會不會餓。請她吃家常小菜，讚美她是你看過最美的女孩。」

「萬一她去告訴蛋白質？」

「那你就死不認帳，說只是想和她打聽妳的近況。我依然

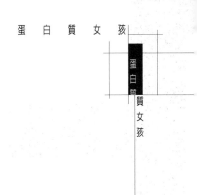

對妳掛肚牽腸，只是不敢當面對妳講。」

　　「你怎麼這麼無恥？」

　　「無恥？」張寶驕傲地說，「我只是熟悉分手後的政

治！」

走到圓環你們繞到誠品看書，她
立刻走到文學名著。她說最喜歡的是
普洛斯特的往事追憶錄，你說你最喜
歡的是迪士尼的跳跳虎。她說你這麼
幼稚誰敢當你的媳婦，你說難道妳有
意角逐……

約會的方式

約會的方式

上禮拜張寶遇到了舊愛，我開始約壞女孩。

「她說她要爲我而變乖，髮型和穿著會改。」我興奮地對張寶說，「今天我們第一次約會，我竟不知道要去哪裏。」

「絕對不要上餐廳或看電影！」

「爲什麼？」

「吃飯要兩三個小時，對初識者是很大的投資。帳單通常兩三千塊，若你不喜歡她豈不是划不來。何況吃是粗魯的活動，你會看到對方滿手是油。雞腿啃到骨頭，還舔來舔去不肯放手。舌頭上有嚼爛的碎肉，喝湯時嘴巴像漏斗。若是吃了太多豆類，待會兒放屁豈不害羞？」

「電影又有什麼不好？」

「你如果選在熱門戲院，排隊就要排個很久。進場擠得頭破血流，可樂加爆米花要一百六。兩小時不能和她交流，片子難看也不好意思開溜。爲了讓她了解你的個性，你對電影的反應要十分小心。幽默對白笑得特別大聲，爲了顯示你很有水準。感人場面你吸著鼻子，好像在等她給你面紙。裸露鏡頭你老僧入定，彷彿自己寡慾清心。低級笑料你搖頭嘆息，心裏卻想我一定要去買 DVD。兩小時表演下來，還沒散場你已經累壞。她對你仍不太認識，你對她仍一無所知。」

「不看電影，大概只能去唱 KTV。」

「和初識的女生唱 KTV，就好像和她去裸體海灘日光

約會的方式

彼此距離有一步遠，反而容易觸電。

浴。彼此的缺點暴露無遺，不管你們怎樣調 key。你如果點『三月裏的小雨』，她知道你上了年紀。你如果點蔡依林，她覺得你還沒脫離青春期。她如果點『無字的情批』，你覺得她好像不夠高級。她如果點王菲的歌曲，你會笑她自不量力。如果你都不唱歌，可能顯示你害羞閉塞。如果你唱太多歌，口水會氾濫成河。如果你唱時她在接手機，立刻顯示她對你沒有興趣。如果她唱時你去洗手間，今晚過後大概不會再見面。」

「難怪我一直交不到女朋友，因為我一直在從事上述活動。那你約會都用什麼方式？」

「我喜歡散步。兩個人眼睛向前，不用盯著對方的臉。彼此距離有一步遠，反而容易觸電。我喜歡和她走在仁愛路，從總統府走到市政府。在鴻禧大廈停下腳步，幻想兩個人住進去的幸福。慢慢走到連戰競選總部，爭辯他到底會贏會輸。講到最後她說她支持台獨，你改變話題說要不要吃關東煮。然後走到空軍總部，你說你當兵時非常辛苦。掌廚時全排食物中毒，被罰半夜起床練刺槍術。她說男子漢大丈夫，你怎麼軟弱得像漿糊？有一天你有了小孩，你太太怎麼敢單獨讓你照顧？接著你們走到九如，點了一碗湯圓裏腹。你餵她一個湯圓進肚，卻是你自己感到滿足。你雖然不姓辜，卻擁有全世界的財富。

走到圓環你們繞到誠品看書，她立刻走到文學名著。她說最喜歡的是普洛斯特的往事追憶錄，你說你最喜歡的是迪士尼的跳跳虎。她說你這麼幼稚誰敢當你的媳婦，你說難道

妳有意角逐。離開誠品你們看名品店櫥窗的衣服，心想這些都是很好的生日禮物。你說她很適合那件 Armani 的長褲，穿上去感覺有165。她說我已經心有所屬，別人的眼光我何必在乎。離開誠品走到富邦大樓，坐在台階她點起蠟燭。你買了一包可樂果蠶豆酥，她一個個丟到天空再用嘴巴接住。天上的星星你們一個個數，地上的汽車你們算有多少超速。她的頭髮飄到你的眼珠，茂盛得像前方的行道樹。

　　你們繼續走到延吉街喝木瓜牛乳，你嚇她說妳最近好像有點發福。她說我們去參加亞歷山大俱樂部，明天開始只吃豆腐。路上電線桿貼著吉屋出租，你問她願不願搬出來和你一起住。她說這是不是變相的求婚，你開始支支吾吾。接著你們走到國父紀念館，很多阿公阿媽在跳社交舞。她說想不想像他們一樣幸福，七老八十還會爭風吃醋。最後你們走到華納威秀，她拉你進去看『人骨拼圖』。你警告她這部片子十分恐怖，她說你怎麼膽小如鼠。看完後她嚇得抱著你哭，鼻涕弄濕了你的衣服。」

　　「真是太感人了！」我忍不住流下淚水，「後來呢？」

　　「我去廁所拿衛生紙，認識了另一個女孩子。第二天我更改電話和地址，沒有給她任何解釋。」

　　「你……」

　　「我本來又想騙這個女子去走仁愛路，她竟說直接去凱悅不是很舒服。我大聲疾呼感謝主，終於有人體諒到我是扁平足！」

　　我一拳把張寶擊倒，他開始狂笑。

派對

主辦人在餐廳包場,邀請的女生既
專業又漂亮。她們記得一元台幣等於多
少英鎊,講的笑話比軍中還黃。男生的
味道比女人還香,老實誠懇得像阿亮。
你當然看不到他們的痔瘡,五秒鐘一次
的性幻想……

派對

　　上禮拜張寶教我約會的方式，我在仁愛路踩到一團狗屎。

　　「別灰心，我帶你去參加一個派對。」張寶說。

　　「我沒興趣。」

　　「這種派對非常好玩，去一次保證你終生難忘。主辦人在餐廳包場，邀請的女生既專業又漂亮。她們記得一元台幣等於多少英鎊，講的笑話比軍中還黃。男生的味道比女人還香，老實誠懇得像阿亮。你當然看不到他們的痔瘡，五秒鐘一次的性幻想。出現時你必須裝得很忙，遲到兩小時最為恰當。你的記性一定要強，陌生面孔要過目不忘。因為每個人的工作都很像，英文名字一個比一個長。名片記得要雙手奉上，明明沒聽過對方也要說久仰久仰。為了暖場你可以說嘿你長得跟某明星很像，我一定不是第一個這樣講。他若無自知之明會覺得你有獨特的眼光，他若有自知之明也會覺得你很識相。

　　互相介紹後首先談共同的朋友，你的同事中有沒有我的學長，我有一個朋友也在你們銀行。接著談和主辦人的關係，你怎麼認識邁克張，留學時他常載我去超級市場。然後談彼此的公司，你們的股票會不會漲，我們那個案子要請你們多幫忙。最後談共同的客戶，某某某真是混帳，聽說他晚上當牛郎。此時大概到了五分鐘，你應該開始尋找其他的對象。」

派對

「但有時對方講得興致高昂，你不好意思中途離場。無趣的笑話她一直講，你必須用力壓住膀胱。」

「這時你要編一個藉口。」

「什麼藉口？」

「對不起我的手機在響。」

「你怎麼能讓此時剛好有人打來？」

「沒有人打來。你的手機來電震動，你可以拿起來假裝。」

「但如果她非常漂亮，你一看到就想和她上床？」

「你更要表現出無欲則剛，五分鐘就把她甩在一旁。她會想別的男人都纏著我不放，這小子兩三句就主動退場。莫非他有了條件比我好的對象，還是看破了我的美都是化妝。她一旦開始胡思亂想，對你的興趣也就越來越強。」

「好陰險的伎倆！」

「其實這是為你著想，免得你到頭來對她失望。有些美女十分善良，你沒有認識她們的面相。有些美女非常假裝，你往往很難抵擋。五分鐘內假裝美女像一片口香糖，沒有營養但至少口氣清香。五分鐘後她們開始無趣地像報路況，十句話有九句在打乒乓。」

「可是，離開她如何打入另一段對話？」

「這時候我們兩人就要互相幫忙。你走到我旁邊，對我翻個白眼。我大聲叫嘿好久不見，我以為你還在國外賺錢。接著我把你介紹給大家，當然連帶地推銷一下。我和他從小一

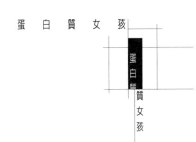

起長大，每個老師都最喜歡他。他的毛筆字都得甲，曾向全班示範過如何刷牙。」

「這種乖乖牌早就沒有市場！」

「說的也是……那麼這樣：他參加過飛車黨，搶過數十家統一超商。屁股上紋了一株仙人掌，每一根刺代表一次感情創傷。」

「我不需要你替我推銷，我只要誠懇就好。」

「誠懇？誠懇會讓你一個人在角落喝飲料。」

「照你這樣說，派對裏應該盡量哈啦，講些言不及義的話。」

「沒錯，一旦對話開始有了主題，你必須趁早閃避。」

「比如說？」

「比如說派對中總會有一群女子，黑色高領毛衣和 Prada 褲子。眼鏡是復古的黑框，皮膚白得像豆腐一樣。抽的薄荷菸一根比一根長，擦的口紅一個比一個亮。她們痛恨微軟的視窗，認為它象徵了資本主義的魔掌。她們喜歡討論容格或拉岡，把男性每個動作都詮釋為性的慾望。如果你多看一眼她們的胸膛，她們就認定你有沙文主義思想。碰到這種對話，你要說我聽到警報在響，我得去看看有沒有人砸了我的車窗。」

「還是跟男性談話比較安全。」

「派對中也有一群男子，任何事都可以講回政治。他們批評所有的政黨，老用國外的例子來衡量國內的現象。他們認

派對

莫非他有了條件比我好的對象，還是看破了我的美都是化妝？

爲所有候選人都在說謊，唯一可以相信的是許信良。他們以爲是來參加全民開講，聲音比李濤還要響亮。碰到這種對話，你要立刻說糟了衣服沾了沙茶醬，必須立刻去廚房。」

「還是談我們的本行。」

「千萬不可。派對中也有人學商，講的每一個字中都要跟 P 搭上：HTTP、SAP、ERP、ISP、ICP、ASP、S&P、IPO、EPS。爲了避免暴露自己的無知，你的嘴最好一直蓋著餐巾紙。」

「照你這樣說，派對裏根本不用講話了。」

「沒錯，派對的目的是收集電話號碼，回來後再從長計畫。」

我們走到了餐廳門口，張寶把頭髮抹光，準備打一場硬仗。

一個天蠍一個處女，一個冷淡一個
熱情。兩人座位中間有一台影印機，
創下公司最高的使用率⋯⋯

情挑處男

雙重約會

　　上禮拜張寶帶我去派對，臨走前他看上兩個美眉。回來後他十分氣餒，不知道怎麼和其中一名約會。

　　「約女人幾時難倒過你？」

　　「這次我可能敗北，因為她們情同姊妹。」

　　啊，你知道這樣的女人，她們永遠形影不分。兩個人條件相近，甚至有相同的髮型。都曾受邀上「非常男女」，很有默契地一同婉拒。她叫莎莉她叫薇琪，她是 AE 她寫 copy。一個天蠍一個處女，一個冷淡一個熱情。兩人座位中間有一台影印機，創下公司最高的使用率。每當夾紙或碳粉用盡，同事們竟然會搶著修理。兩人亦步亦趨，食衣住行都在一起。每個月同樣的日子發脾氣，大家懷疑她們有相同的經期。午餐點一樣的東西，上廁所時坐在隔壁。對方不在時為她接手機，對打來的男人都沒好口氣。下班後一起到 Idée，互相為對方選合適的內衣。周末時一起去看 007，客滿時一個位子也願意擠。年假時同遊巴黎，機場內都掉了行李。飛機上一起看電影，都喜歡布萊德彼特的小屁屁。巴黎同時有豔遇，追薇琪的人是追莎莉的弟弟。

　　e-PHONE 廣告出來後，她們的關係更加緊密。像微軟的視窗和 IE，變成不可分割的 package。夜裏一起去「官邸」，點的是 Scotch 和 Bloody Mary。派對一同出席，不理別人自己在牆角低聲細語。男人若對薇琪有興趣，得先回答莎莉的

問題。你當晚能單獨約到薇琪的機率非常低，頂多是三個人一同轉移陣地。

回來後兩人會交換對你的評語，意見第一次有了分歧。薇琪說你滿有誠意，莎莉聽說你很花心。薇琪感受到你的愛意，莎莉說這種人只愛自己。薇琪說你的幽默一針中的，莎莉說你的笑話都很低級。薇琪覺得你的小眼睛有魅力，莎莉嫌你的單眼皮。薇琪考慮單獨和你出去，莎莉說約會地點最好靠近警察局。

「沒錯，」張寶說，「所以我要追薇琪，一定要先搞定莎莉。」

於是你打電話給莎莉，問她對那天派對的看法。她說那天有個男人穿 Prada，但看起來還是很邋遢。你明知道她在對你開罵，爲了大局也只好裝傻。心想有一天我要蓋一座雷峰塔，把妳一輩子往下壓。你開始逢迎拍馬，說她長得像林青霞。一定當過大學校花，現在的男友不只一打。她一時沒回答，顯然被你的謊言軟化。你說你們公司樓下有一個 Starbucks，改天請妳喝下午茶。

「等一等，」我打岔，「你到底追的是誰？」

「薇琪。但我在進行統戰，先得到莎莉的好感。」

「有效嗎？」

「第二天我打電話給薇琪，約她周末去看 The Beach。中午她和莎莉吃飯，自然會問莎莉衣服該怎麼穿。此時莎莉已經改變了對我的觀感，搞不好會勸薇琪說我就是 the one！」

女人間可以牽手在街上shopping，兩個人舔同一根冰淇淋。

「不對不對，」我搖頭，「如果我是莎莉，我會覺得你對我的甜言蜜語是一種示意。我對你失去敵意，是因爲我以爲你想跟我在一起。搞到最後你還是去追薇琪，我反而更加生氣。」

「那更好！她一旦對我生氣，壞話就會說得很難聽。薇琪會覺得她失去理性，批評我只是因爲妒嫉。這樣剛好挑撥兩個人的感情，搞不好她們還會因此斷絕關係。」

「你太低估了女性間的友情，她們不像我們只有吃喝玩樂才在一起。男人間的友情層次很低，交往大多是爲了名利。我們小時候互抄習題，打橄欖球時置對方於死地。當兵時一起去 831，常騙他老婆他昨晚和我在一起。聚會時比賽誰最會放屁，美食的定義是台啤和花生米。談話內容永遠是女人的身體，或是如何治療便秘。唯一的交流是飯島愛的 VCD，但絕不會在一起討論日劇。我們不會碰觸對方的身體，拍拍肩膀都覺得噁心。

女人卻可以牽手在街上 shopping，兩個人舔同一根冰淇淋。失意時倒在對方懷裏，爲彼此披上大衣。偶爾會交換日記，對方的生日都記得送禮。她們會談人生的道理，分享彼此的祕密。她們會鼓勵對方獨立，李昂的《殺夫》都讀得很徹底。她們發明了女性主義，男人永遠搞不懂那是什麼東西。」

「所以……」

「所以當莎莉告訴薇琪你對她說的那些甜言蜜語，薇琪絕

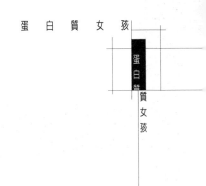
對會深信不疑。」

　「你說的有道理⋯⋯對了，那我們就來個雙重約會，分散莎莉的注意力。我把薇琪你顧莎莉，如果她剛好愛上你，那豈不是皆大歡喜？」

　我搖頭，知道災難就要來臨。

你受過高等教育，讀過蘇格拉底。你炒作股票，一天中輸過一億。你去過南極，發現外星人的遺跡。你潛水時不背氧氣，有一次遇到鯊魚。這些大風大浪都難不倒你，但你卻不敢打電話給莎莉……

伺服器的速度

伺服器的速度

　　上禮拜我陪張寶去雙重約會，臨走前張寶說這個周末我
請大家到我家喝咖啡。

　　「誰說我要請喝咖啡？」

　　「我省去你單獨約莎莉的遲疑，用團體活動來拉進你們的
關係。」

　　「爲什麼要到家裏？」

　　「家裏的感覺很溫馨，女生會失去警覺性。」

　　我搖頭，「諸葛亮當初爲什麼要唱空城計，就是怕敵人
知道他實力空虛。剛認識就請她來家裏，就像她穿大衣而看
到我裸體。她會翻我的書架，發現所有的書都很新。上我的
廁所，看到馬桶裏有一圈黃黃的東西。看我的冰箱，聞到兩
個月前的 spaghetti。開我的衣櫃，發現竟然有女性內衣。她
會知道我信箱裏沒信，整個晚上沒有電話鈴。我苦心經營的
形象，一晚下來不都成了泡影？」

　　「但如果你設計得宜，就有機會畢其功於一役。想想看，
萬一你們眞的來電，臥房就在旁邊。你有主場優勢，還不用
付賓館錢。」

　　「我床頭有一張全家福的照片，我怎麼能對著它和別人通
姦？」

　　我們的討論不了了之。禮拜三，張寶打電話來，「你跟
她們約了沒有？」

185

「我以為我們只是說說而已。」

禮拜四張寶說：「她們打大哥大給我，抱怨你沒有誠意！」

「她們打給你，你為什麼不直接和她們約定？」

「你是主人，當然應該由你來邀請……等一等，哦……你不敢打電話給莎莉對不對？」

「誰……誰說的？」

「你受過高等教育，讀過蘇格拉底。你炒作股票，一天中輸過一億。你去過南極，發現外星人的遺跡。你潛水時不背氧氣，有一次遇到鯊魚。這些大風大浪都難不倒你，但你卻不敢打電話給莎莉！」

「我怕被她拒絕，怕她覺得我太侵略。怕她的語氣冷冰冰，怕她說嗯……恐怕不行。怕我打給她時她正在開會而把聲音壓低，怕她回電時嚴肅地問你找我有什麼事情。怕她的藉口會侮辱我的智力，怕她說我現在不確定若我能來再打電話給你。我怕她太聰明，永遠留給自己很多彈性。每個人來邀約她先問還有誰要去，仔細考慮哪裏有最多的帥哥和最少的美女。有沒有人將來能和她做生意，有沒有人能幫她拉關係。她若出現一定遲到一小時，享受被一一介紹給每個人的優勢。她若不喜歡在場客人總有藉口先行離席，永遠不記得飯錢也應該付十分之一。」

「莎莉不會這樣，她喜歡你。她還問我你的星座和血型，襯衫袖長是不是 31。」

　　禮拜五中午，張寶再問：「你爲什麼還沒跟她們聯絡？」

　　「我留了話在莎莉辦公室。」

　　「什麼時候？」

　　「昨晚十二點。」

　　「十二點誰會在？你存心要避開她。」

　　「至少她知道我在找她，她若有興趣會回電給我。」

　　「她在公司，你現在打去。」

　　我 E-mail。禮拜五下班前沒有回音。

　　禮拜六中午，張寶說：「她收到 E-mail 沒有？」

　　「我……我不確定，那要看她們公司伺服器的速度。」

　　「你現在打電話給她們。」

　　「我爲了裝酷，根本沒問大哥大號碼。」

　　「慘了，我也沒問。」

　　「她們有你的大哥大，如果有誠意，爲什麼不打電話問你？」

　　「她們先前已經打了好幾次，現在總得表現一點矜持。」

　　「怎麼這麼小家子氣，」我咒罵，「打個電話有什麼關係？」

　　「今晚算了。」

　　「等一等！」我抓住他，「萬一她們收到 E-mail，眞的來了怎麼辦？」

　　「我不能把我的周末賭在她們伺服器的速度。」

　　「你還是來。若她們沒到，至少有我和你。我們可以看衛

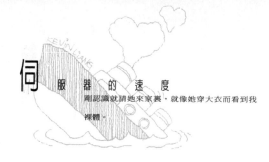

視的鐵達尼，聽蔡依林的新 CD。」

「和你看鐵達尼？我寧願回家讀《地下室手記》！」

「我還有飯島愛的 VCD，花花公子的千禧年月曆。」

「沒有人要你留在家裏。」

「我出去，萬一她們來了怎麼辦？」

在我懇求之下，張寶勉強來到我家，條件是她們若沒出現，他可以用我的電話撥 0204 號碼。他拿出大哥大，我們同時盯著上面的綠色閃光。收訊良好電池很強，就是沒有響。約定時間兩小時後，門鈴終於響了，我打開門⋯⋯

高興地接下披薩。鐵達尼正演到高潮，我遞一塊給張寶，他已經哭得無可救藥。

High

你害怕女人，把她們的身體當醫
院。你沒有經驗，不知道她們其實是
主題樂園……

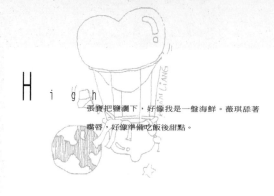

張寶把鹽灑下，好像我是一盤海鮮。薇琪舔著嘴唇，好像準備吃飯後甜點。

High

上禮拜張寶來我家看鐵達尼號，晚上十二點突然聽見門外有人在吵。我打開門，莎莉和薇琪對我微笑。

「我以為妳們沒收到 E-mail。」

「我們只是去買酒而已。你家有沒有鹽？」

張寶揉揉惺忪的睡眼，我收起吃了一半的泡麵。莎莉關掉所有的電源，把一根蠟燭放在中間。薇琪仍是一副不食人間煙火的模樣，頻頻問我們有沒有錄人間四月天。

「這是龍舌蘭。」

莎莉教我把鹽抹在手背，再用舌頭去舔。然後猛灌下酒，黑夜會突然變成白天。她的表情認真，好像在動手術開盲腸炎。我興趣缺缺，努力忍住不打哈欠。張寶逮到機會，手已經搭上了薇琪的肩。薇琪不勝酒力，一杯就已通紅了臉。我心想這樣下去，有人要去跪洗手間。失去意識，明晨才發現身體淪陷。於是我站起身，說有沒有人想去通化街吃蚵仔煎。

「你坐下，」薇琪說，「我們來玩一個遊戲。」

我心想她大概要我猜文學經典，沒想到她問我：「你覺得我全身最好看的是哪個部位？」

「妳的肩。」

她竟然立刻拉開毛衣，露出雪白的肩。莎莉神祕地微笑，顯然早有心理準備。張寶伸手去摸，好像在揉餃子餡。

我轉過頭去，害怕會長針眼。薇琪在肩上倒下鹽，要我先舔再喝一杯。我不敢置信，要她再說一遍。

「你怕什麼？」

「我……」

「你害怕女人，把她們的身體當醫院。你沒有經驗，不知道她們其實是主題樂園。」

莎莉和張寶起鬨叫好，我驚訝地發現薇琪的另一面。她應該是害羞保守沒有主見，沒想到變成豪放女只要一瞬間。她逼視我，像在挑戰我的意志力。我快速思考，如何化解這個危機。

「妳醉了，讓我為妳泡一杯咖啡。」

「你不敢碰我，你這個膽小鬼。」

「妳不要用激將法，我不會讓我的男子氣概作祟。」

「還是因為你有潔癖，不敢捲入任何感情的是非。」

「我自願！」張寶舔掉她肩上的鹽，拿起酒瓶來灌好像在慶功宴。

薇琪看著我，眼神有些哀怨。好像我辜負了她，讓她苦等二十年。我正要說今天就到此為止，薇琪說：「該你了！」

「該我什麼？」

「在你身上抹鹽。」

我突然觸電，倒退著走向另一個房間。

「我喜歡你的肚臍眼。」

我轉身逃跑，激動地扯下窗簾。張寶和莎莉把我架住，

191

張寶把鹽灑下，好像我是一盤海鮮。薇琪舔著
嘴唇，好像準備吃飯後甜點。

法律上這已經算是強姦。我看著自己的 T 恤被翻開，緊張地
想大便。想起看過的 A 片，沒想到今天是我主演。

張寶把鹽灑下，好像我是一盤海鮮。薇琪舔著嘴唇，好
像準備吃飯後甜點。我雙腿亂踢，不讓她逼近。大聲喊叫，
譴責她的獸行。她繞到我耳朵旁邊，用氣音說接受你的命
運。她對我微笑，向我保證她的嘴天賦異稟。她四肢著地，
向我肚子爬行。鼻子碰到我的嘴唇，頭髮蓋住我的眼睛。我
倒看著她的脖子、胸膛，和肚子……突然間她低下頭去，吸
血鬼一樣入侵。我三十多年來的黑暗世界，剎那間大放光明。

她滿意地癱在沙發上，檸檬吸得發出聲音。莎莉摟著
她，露出讚許的表情。張寶站在一旁，大叫不公平。

「好，讓我們換一個公平的遊戲，」薇琪拿起空的龍蛇蘭
酒瓶，「我們圍成一個圈，轉這個酒瓶，瓶口對誰誰就要脫
一件衣服。」

「脫光了怎麼辦？」張寶問。我大叫：「時候不早了明天
還要加班！」

沒有人理我，薇琪繼續說：「我們玩到所有人都脫光為
止，然後換一個更好玩的遊戲。」

「我們可不可以直接玩那個更好玩的遊戲？」張寶問。

「我還沒講完這個遊戲。你們有沒有看過一部叫『閃舞』
的電影？」

「你是說……」

「沒錯，你要從最裏面那件脫起。也就是說，張寶必須在

穿著西裝的狀況下，把他的內衣脫下來。」

「那妳們……」張寶問。

話沒問完，薇琪已開始示範。她的手伸到毛衣裏面，把背後的鈕子解開。然後移到兩邊，分別扯下肩帶。爲了要集中到右邊，她的身子往右邊歪。跑到右邊後，再從毛衣袖子裏拉出來。

張寶和我看得目瞪口呆，像五歲小孩。

「好，現在我們來比賽。」

薇琪脫衣服時還有節拍，莎莉的瑜珈是自創的門派。張寶扭傷了他的腳踝，我全身上下交通堵塞。

半小時後，大家都只剩下最後一件外衣。像決鬥的人走到定位，四家同時聽牌。

「現在，你們準備要眞的 high 了嗎？」

「我喜歡看男人穿我的高跟鞋，因為穿不下而小腿繃得很緊。」

疲勞

狂喜

　　上禮拜張寶、莎莉和薇琪在我家玩致命遊戲，凌晨兩點每個人都只剩下一件外衣。

　　莎莉轉酒瓶，瓶口指薇琪。她毫不猶豫，立刻脫下外衣。她的身材像一件藝術品，每個部位都寫著愛情。張寶見多識廣，勉強維持處變不驚。莎莉目不轉睛，我開始懷疑她是 lesbian。我意亂情迷，想去她身上溜滑梯。

　　「接著，是另一個遊戲。」

　　薇琪抽出三條黑布條，為我們矇上眼睛。她繼續轉酒瓶，直到其他人都加入天體營。

　　「我們玩躲貓貓。四個人都矇黑布，誰也占不到便宜。做鬼的人要親手抓到別人，摸他的身體，然後猜出他的姓名。如果十分鐘內抓不到人，其他三個人可以命令他做任何事情。」

　　「任何事情？」張寶問。

　　「任何事情……」

　　我慶幸這已經不是動員勘亂時期，不然我們通通會被拖出去槍斃。南投災區還在颱風下雨，我竟然在家搞 orgy。但我的良知欲振乏力，而薇琪已經開始數 1234567。眾人四處逃逸，我躲到廚房旁的烘乾機。

　　幾分鐘後，薇琪向我走來。我屏住呼吸，她輕聲說：「我知道你在這裏……」我退到牆邊，她摸到我的臉。

狂喜

她的身材像一件藝術品，每個部位都寫著愛情。

　　人生中有一些關鍵，你當時的決定影響深遠。不管事前的計畫多麼周延，那一秒鐘你就是會犯賤。當時我若大叫我的名字，就可以避免她用手去測試。但不知為什麼我悶不吭聲，讓她的手竭盡所能。她碰觸到我所有罩門，我的腿軟化成新竹米粉。

　　「你最崇拜的經濟學家是誰？」薇琪問。

　　「什麼？」我無法相信這個問題出現的時機！

　　她打開烘乾機，讓其他兩人聽不到我們竊竊私語。

　　「你最崇拜的經濟學家是誰，你是 MBA，唸過經濟吧？」

　　她的動作並沒有因為說話而減緩，我開始覺得全身癱瘓。

　　「凱……凱因斯……」外界有不可抗力之因素，我仍然努力把名字說出，「他……他的《就業、利息與貨……貨幣的一般理論》，呼……是……是我最喜歡的床……床……床頭書……」

　　「最喜歡的音樂家呢？」

　　「蔡……蔡依林。」

　　「我是說『音樂家』！」

　　「那……應……應該是德布西，我……我愛他的……『命運交響曲』。」

　　我已神智不清。

　　「我抓到你，知道你是誰，但我不說。」結束後她對我耳語。

　　「為什麼？」

　　「我要看你命令我為你做什麼事情。」

　　「我可不可以放棄這個榮幸——」

　　她用食指遮住我的嘴唇，「我剛才摸你，你的腳好冷，你要不要穿我的高跟鞋？」

　　「我要不要穿什麼？」

　　「我喜歡看男人穿我的高跟鞋，因爲穿不下而小腿繃得很緊。」

　　她童年到底發生了多少不幸？

　　十分鐘後，她「沒有」抓到人。

　　「你要什麼？」她問張寶，張寶毫不猶豫地說了。我們仍矇著布條，所以我只聽得到她執行的聲音。我終於了解到什麼叫起舞弄清影，什麼叫生命中不可承受之輕。

　　「你呢？」

　　「我只要妳陪我去看電影。」我說。

　　「就這樣？」

　　「就這樣。」

　　「好，我可以陪你去看電影，不過你要付我一百塊美金。」

　　「爲什麼？」

　　「你不覺得這樣很刺激？我陪你，你付我錢。我當然不是爲了錢，但付費讓我們的約會有了新的意義。」

　　「就像……」

　　「沒錯……罪惡感，永遠是最好的興奮劑。」

　　我想拿起電話報警。

　　「不過罪惡感也比不上這個。」

197

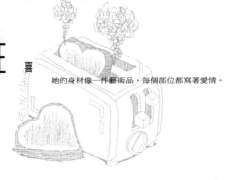

狂

喜

她的身材像一件藝術品，每個部位都寫著愛情。

薇琪坐到地上，要大家圍成一圈。她給了每人一顆藥丸。

「這是什麼？」

「Ecstasy。」

「什麼？」

「『狂喜』。」

「一種維他命？」

「差不多，一種安非他命。」

我是不是重聽？

「這種藥可以軟化個性、消除恐懼。吃了以後你仍然清醒，不過立刻會充滿愛與同情。你會找到風雨中的寧靜，我們才可以徹底交心。」

「妳要我們吸毒？」我大叫！

「我要給你們愛與同情。」

「我要愛與同情，我找一個女人終身相許。一起走人生的高高低低，體驗相聚與別離。那種實戰經驗，豈是這一顆藥丸能比？」

「你追求了一輩子，那個女人又在哪裏？」

我啞口無言，便強辯：「我是台大畢業的，我不能吸毒，」我警告張寶，「別忘了我們都當過童子軍！」

「你是台大的，更應該解放自己。你們從小到大都很臭屁，其實唯一的本領也不過是考前猜題。你們成天喊救國救民，其實比誰都要自私自利。你們遇到一名女子，總要先打聽她的家世和學歷。是不是外商公司的 VP，有沒有和人發生

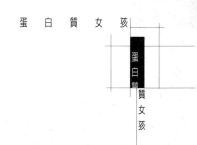

過性關係。好像在做生意，先要確定對方最後能銀貨兩訖。好像超級市場買生鮮食品，拿起來先檢查有沒有過期。吃下這個藥，世上不再有階級、藩籬，和 HIV，你會發現愛的無邊無際，每個人都可以生死相依。」

「薇琪說得有道理，」張寶吞下狂喜，「我已經厭倦了靈肉分離，每次上床後總覺得愛竟然如此而已。」

莎莉和薇琪跟進。他們露出笑意，窗外不再下雨。

我看著狂喜，人生向我步步進逼。

有一回薇琪心情不好，打電話來和他談心。他不知如何鼓勵，就說讓我為妳拉琴。當薇琪的車經過仁愛路的圓環，她抬頭看滿天的星星。此時耳中傳來『101次求婚』的主題曲……

90 度褲子先生

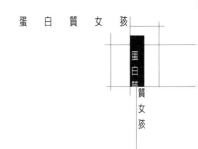

90 度褲子先生

上禮拜我在家開吸毒派對，第二天早上起來果然樂極生悲。

「莎莉和薇琪呢？」中午醒來張寶大叫，顯然不習慣狂歡後女生先落跑。

「薇琪要結婚了！」禮拜一我去找薇琪，回來後告訴張寶。

「什麼？」

「她要結婚了，昨晚是她的告別單身派對。她滿足了所有的性幻想，婚後就不會紅杏出牆。」

「我以為她是真的喜歡我……」

「她是喜歡你，她說你會永遠在她心上。」

「我不要在她心上，我要在她床上！」

「可惜她要嫁給別人。」

「她老公是誰？」

「你不要枉費心機，你沒有辦法跟他比！」

「他是雷射頭，強壯幽默瀟灑多金？」

「他是『90 度褲子先生』，每天削了蘋果後快遞。」

「什麼？」

「他褲子筆挺、坐姿端正，坐著時膝蓋下有一個九十度的直角，你可以在那裏開一扇門。」

「他幹什麼的？」

「他是腸胃科的醫生，與薇琪相識在周四的門診。困擾薇琪多年的胃痛，他開刀的結果非常成功。麻醉前她眼睛哭得

201

度 褲 子 先 生
他不會一早起來說我愛妳，但會確定她早上喝
的果汁中有維他命Ａ、Ｂ、Ｃ、Ｄ、Ｅ。

好紅，他拿下口罩說我保證這絕不會痛。手術多花了九十分鐘，只因為他堅持要細細地縫。一個月後他打電話給薇琪追蹤，問她傷口有沒有腫。薇琪說謝謝你救我一命，我請你吃飯慶功。」

「他是她的醫生？天啊，這種競爭不公平！」張寶憤而起身，「他可以要她寬衣，她不會有任何懷疑。他可以摸她肚臍，她還說拜託你摸個仔細。他可以替她照胃鏡，她痛得死去活來還握他的掌心。他可以隨時打電話給她，美其名是討論她的病情。他救了她的命，我卻跟她吸毒品。」

「他有點口吃，下班後還穿著白衣。個性嚴謹，看過最近代的小說是西遊記。沉默寡言，周末在家做飛機模型。沒有情調，薇琪生日送的是果汁機。」

「你是說他是一個好醫生，卻不是好情人？」

「那就要看你如何定義『好情人』？他雖然不會花言巧語，做的事卻可歌可泣。午餐時他會削兩個蘋果，切片後裝在塑膠袋裏。然後放入醫院的公文封，請快遞在一點前送給薇琪。」

「他削蘋果是不是用手術刀？那樣的蘋果有沒有細菌？」

「我沒問得這麼仔細。」

「他如何讓蘋果在運送過程中不變色，是不是先用生理食鹽水沖洗？」

「重點不是在他如何處理蘋果，而是在他會做這種事情。」

「這有什麼了不起？我也送過薇琪玫瑰花，一出手就是兩打。」

「你有親自挑選、剪裁、搭配、包紮嗎？」

「這是一個專業分工的時代，事必躬親違反了經濟原理。」

「他不但事必躬親，而且是完美主義。他每天早上爲她榨綜合果汁，都請營養師在一旁監視。他不會一早起來說我愛妳，但會確定她早上喝的果汁中有維生素Ａ、Ｂ、Ｃ、Ｄ、Ｅ。」

「他到底是醫師還是廚師？」

「他的細心不限於吃。他還會拉小提琴，小時候得過全省冠軍。有一回薇琪心情不好，打電話來和他談心。他不知如何鼓勵，就說讓我爲妳拉琴。薇琪拿著手機，隨時都可能斷訊。他把話筒放在腿上，慢吞吞地開始調音。當薇琪的車經過仁愛路的圓環，她抬頭看滿天的星星。此時耳中傳來『101次求婚』的主題曲！」

「我猜他還會吹肯尼Ｇ，表演時雙眼緊閉，」張寶尖酸地說，「嘴巴用力得像吸塵器，卻不忘停下來說我愛妳。」

「你看，這就是你的問題！」

「我的問題？」

「你玩慣了愛情遊戲，招術已經爐火純青。每一句話都另有含意，每個動作都動機可疑。愛情的根源是肉體，分手後都變成仇敵。你習慣用諷刺來保護自己，碰到困難就揚長而

去。純情在你心中已經過氣，愛對你來說只是一種演習。」

「哇，我好怕，也許我應該去看我的情敵，也許他有藥可醫。」張寶說，「原本我還沒把握追到薇琪，現在知道一定會勝利。這種國中生式的愛，你想能維持幾個星期？有一天快遞遲到，蘋果是不是就要生鏽？小提琴獨奏，聽久了像歐巴桑喋喋不休。有一天薇琪要吃麻辣鍋，他會說這對妳的胃不好。有一天薇琪要吃大閘蟹，他會說這玩意兒膽固醇很高。他是醫生，愛她的方式是治療病症。我是情人，愛她的方式是幫助她享受人生。我不給她維他命 C，但用做愛來增強她的免疫力。我不會拉小提琴，但她難過時帶她去唱KTV。他可以讓她健康安全一百年，我可以讓她徹底燃燒五十天。如果你是薇琪，你要和誰在一起？」

我猶豫。

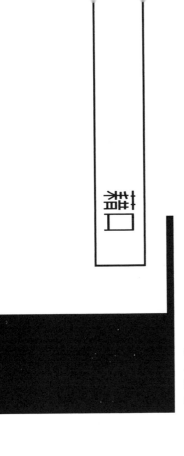

借口

我知道妳很忙，一個禮拜飛兩次香
港。我知道妳的電話天天響，愛的路
上不斷連莊。但我也知道妳受過傷，
對每個男人都嚴加提防。寂寞時妳偷
吃糖，星期六夜晚妳只能上網……

最厲害的男人讓女人衝動，中等的讓她們心
動，至於你，你可以讓她們感動。

藉口

上禮拜張寶想阻止薇琪的婚事，他派我約她出來吃台灣
小吃。

「她這禮拜都有事。」我沮喪地告訴張寶。

「女生有基本的矜持，她們一概拒絕第一次。約她們你要
像證嚴法師，有出家的胸懷和入世的堅持。」

「這不是第一次，別忘了我們在她面前脫過褲子！」

「那就是你的技巧有瑕疵。」

「沒錯，每次約女生感覺都像玩樂透，一講話就像投了暴
投。每次她們拒絕我的理由，我都不知道是不是藉口。」

「你說說看，我來替你判斷。」

「我要加班。」

「可能是真的。」

「我要去看外婆。」

「最近天氣不好，外婆可能感冒。」

「她下一次說要去看外公。」

「外婆傳染給外公，非常合理。」

「接下來兩次是爺爺和奶奶。」

「親家平常有往來，可能是忘了用公筷。」

「你怎麼這麼樂觀？別人講到這裏你還聽不出來？」

「我當然聽得出來，但追女生就是要不怕失敗。她的藉口
越精采，你要表現得越無賴。」

　　「你這樣沒有幫到我，你要告訴我當她們拒絕我時怎麼辦。」

　　「好，你再來。」

　　「我頭痛。」

　　「這個高明。各種疾病中她選頭痛，因爲這種病外人無法辨別眞假。她若說感冒，你可以說妳怎麼沒有咳嗽鼻塞？她若說發燒，你摸摸頭就知道。頭痛完全是自由心證，你沒有質疑她的可能。這個太難，換一個。」

　　「我要帶狗去看病。」

　　「你可以說：『我認識一個很棒的獸醫。』」

　　「我要加班。」

　　「那我們約下禮拜。」

　　「我要忙一個月。」

　　「那我跟妳約兩個月後。」

　　「咦……有道理。」

　　「一般人都想立刻約到，女生就可以說這兩個禮拜忙得不可開交。與其和她在短期斤斤計較，倒不如訂立一個長期目標。誰會忙到排滿了兩個月以後的行程表？」

　　「如果她說我要去美國。」

　　「什麼時候回來？」

　　「一年後。」

　　張寶陷入苦思，然後拿出電話本：「妳去哪個城市，我請我那邊的朋友照顧妳。」

藉口

最厲害的男人讓女人衝動，中等的讓她們心動，至於你，你可以讓她們感動。

「沒錯，這一方面顯示你並不自私，二方面可以請你的朋友代為監視。」

「讓她感覺你愛她愛到不需要每天在一起，天涯海角都可以心有靈犀。」

「如果她說我今晚要和男朋友約會。」

「我沒想到妳已經把我當成男朋友了！」

「這太皮了。」

「我知道，我只是先逗她笑，然後說：『帶妳男朋友一起來。』」

「你瘋了？」

「她搞不好根本沒有男朋友，說這話只是在考驗你。你如果這樣就打退堂鼓，表示你其實有沒有她都沒有關係。再說，就算她有男朋友，你展現出不畏情敵的自信，她反而會對你更為好奇。」

「我懷孕了，未來十個月都沒空。」

「這種女人你搞不過，你要立刻讓給我。萬一你臨時找不到我，可以先說：『寶寶若是女孩，一定跟媽媽一樣可愛。我知道怎麼餵奶，尿布也換得很快。如果妳需要幫助，我可以隨時趕來。』」

「萬一她真的有小孩？」

「你一邊說我願意娶妳當太太，一邊設法說服她去墮胎。萬一她堅持把孩子生下來，你再說公司派我到美國出差。」

「有一種女人根本懶得給你藉口，直接說你不要來煩我。」

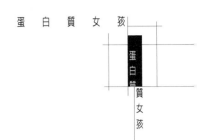

「這時候你要放下自尊心，臉上裝出難民的表情。用手戳自己的眼睛，讓眼淚流個不停。鼻涕用力去擤，甚至可以假裝抽筋。嘴唇咬得很緊，跟她的距離越來越近。然後你說我知道妳很忙，一個禮拜飛兩次香港。我知道妳的電話天天響，愛的路上不斷連莊。但我也知道妳受過傷，對每個男人都嚴加提防。高速公路上聽路況，突然想起他帶妳去過的地方。寂寞時妳偷吃糖，星期六夜晚妳只能上網。禮拜天早上賴床，不敢面對屋內的空曠。我知道我很髒，指甲留得很長。我知道我很胖，頭頂已經開始發光。悄悄話我不會講，情歌也不會唱。事業我不敢闖，老闆面前我屁都不敢放。我知道我沒有經驗，幸福來時我總是緊張。遇到挫折很快投降，碰到好女孩不敢去搶。雖然如此，我自信我們是最適合的一對，為了避免妳我一輩子後悔，妳可不可以給我一個機會？」

「這樣有效嗎？」

「大部分的女人都有一個弱點，你絕對要狠下心去剝削。她們的心腸很軟，經不起你一煩再煩。你只要堅持到底，她們通常都會勉強答應。記住，追女人其實很簡單，最屬害的人讓她們衝動，中等的人讓她們心動，至於你，你可以讓她們感動。」

「感動？」

「感動。」

張寶拍拍我，我突然又有了勇氣向前衝。

她的心像杭州西湖，你的心是一棟鬼屋。她的情感像合作金庫，任你自由開戶。你的情感像一間當舖，別人給的總是超過你的付出。她愛別人像押注，不在乎是贏是輸。你不是好的賭徒，總是半路打退堂鼓。

情書

　　上禮拜張寶要我約薇琪出來，薇琪用各種藉口搪塞。到
最後她不接我的電話，我的心像一塊燒焦的木柴。

　　「你爲什麼不用情書跟她表白？」

　　「情書？」

　　「或是網路。」

　　「我討厭新潮的網路，E-mail 只適合散布病毒。大家只在
乎傳遞的速度，情感卻變得越來越粗。我懷念古老的情書，
它是一種壓抑的幸福。信紙上的香水濃得像必安住，頂端的
勵志詩一句比一句俗。坐在書桌前看著空白的信紙，後悔小
時候沒有好好唸書。你必須找到一個角度切入，讓她知道你
愛她入骨。你仔細回想和她的接觸，每一次都吞吞吐吐。你
們之間重視禮數，從來沒有火花噴出。突然間你意識到你們
條件的懸殊，追到她的機會像光復大陸。她的臉像一塊豆
腐，你的臉像一塊泥土。她的身材像辛蒂克勞馥，你永遠不
會是勞勃瑞福。她的心像杭州西湖，你的心是一棟鬼屋。她
的情感像合作金庫，任你自由開戶。你的情感像一間當舖，
別人給的總是超過你的付出。她愛別人像押注，不在乎是贏
是輸。你不是好的賭徒，總是半路打退堂鼓。」

　　「懦夫！」張寶說，「你怎麼這麼容易洩氣？你難道不知
道，五四健將羅家倫其貌不揚，但就憑一手美麗的情書，娶
到了北大的公主。」

211

「我不像他想像力那麼豐富。」

「沒關係，讓我教你一些寫情書的基本功夫。首先要強調她的美麗，說妳讓我重新相信了主。當上帝創造夏娃，一定是以妳做藍圖。」

「萬一她不漂亮，覺得你的讚美是故意侮辱？」

「那你就強調她的特殊。我以前愛上的都是散彈露露，口中有痰就隨地亂吐。妳卻像一本經典好書，每天讓我學到新的事物。和妳在一起我敢看妳的眼珠，跟妳講話會自然走近一步。我們約會沒有脫過衣服，每次結束我卻滿足得想哭。」

「這些太老套，別的男人一定用爛了。」

「好，那我就教你進階的絕招。你會發現讀詩的重要，引述佳句絕對是你的法寶。如果你要表達傳統的愛意，可以引用趙孟頫的『你儂我儂、厄煞情多、情多處——』」

「等一等，薇琪是七十年次的，她不可能聽過這首歌。我可不可以引用現在最流行的徐志摩：『我抬頭望，藍天裏有妳，我開口唱，悠揚裏有妳，我要遺忘——』」

「可以是可以，不過現在的女孩子都很實際。徐志摩式的情書像是網路股的本益比，一時 sexy 但久了還是要看你獲不獲利。所以你不要全篇都是甜言蜜語，可以適時地談談你的專業領域，這樣她才會覺得你已經把她和生活結合，愛她入骨但也想過貸款問題。愛因斯坦在給他同學米列娃的情書中說：『妳真是一個充滿活力的女孩，很難想像這麼小的身體裏竟藏了這麼多能量，我在想妳時看了赫茲有關電力傳送的

書，因為我不懂亥姆霍茲電動力學中最少運動原則的討論。』」

「這太過理性，我喜歡的女生都像日本的自殺飛機。」

「那你就強調愛她到快死的地步。拿破崙給約瑟芬的情書說：『當我親吻著妳的雙唇，沉醉在妳的心窩，我卻更加難過。愛情之火吞噬了我。親愛的，請接受我一百萬個吻，但請不要回吻我，因為妳的吻會讓我血液沸騰。』」

「女生會不會覺得這種花癡沒出息？」

「沒出息？這種花癡幾乎做了歐洲的皇帝！」

「你這些詩都太過文藝氣息，薇琪自然而野性，不會喜歡這種雕琢的感情。」

「那你就要學大陸人的口氣。大陸作家王力雄在九八年出了一本《天葬》，書中說他在西藏懷念內地的情人，發了一通電報說：『昨夜我做了一場春夢，妳媽上街買菜，我啃了妳一口！』」

「然後呢？」

「電報以字計費，他寫到這兒就沒了。」

「這太露骨了！我還是喜歡抽象的東西。」

「那你就學南宋女詞人朱淑貞，她在情書上畫了許多圓圈，大圈、小圈、單圈、雙圈、全圈、半圈等，然後寫：『單圈兒是我，雙圈兒是你……全圈是團圓，半圈是別離……』」

「你難道不知道大多數女生都很討厭數學，你何必去挑戰她們的弱點。」

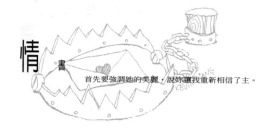

情　書

首先要強調她的美麗，說妳讓我重新相信了主。

「好吧，那你就什麼都不寫，學英國詩人伊莉莎白伯朗寧：『我那些讚美的言語是何等無能！所有的男人都在讚美妳，卻無人能捕捉妳的風采。我愛妳至深，深到我只能愛妳，不能作文。』」

「我懂了，就像艾略特說的：『我們不需交談，卻想著相同的念頭。我們胡言亂語，不需要有任何意義。』」

「碰到這樣的女人多好……」張寶撐著頭，望著窗外，我突然看到一個從來沒有戀愛過的小孩。

悲傷往心裏塞，外表裝作中了六合彩。薇琪不理你，你痛苦地想往窗外跳。遺書已經寫好，拿起廚房的水果刀。這時爸媽走進來，問你是不是心情不好。你說開什麼玩笑，我在等我熱的小籠包⋯⋯

防衛機制

防 _{LIANG} 衛 機 制
他們最後向親友敬酒，你還一桌桌帶路。他們
最後走進洞房，你還替他們點蠟燭。

防衛機制

上禮拜寫給薇琪的情書石沉大海，我感到徹底的挫敗。

「沒關係，」張寶安慰我，「讓我教你一些防衛機制。」

「『防衛機制』？」

「佛洛伊德說人在焦慮時會不自覺地產生某些反應以紓解壓力，這些反應就叫做防衛機制。」

「可是我沒有什麼不自覺的反應——」

「很好，否認就是防衛機制之一。我今天要教你將這些不自覺的反應『自覺化』，化被動為主動，讓自己迅速擺脫煩惱。」

「比如說……」

「首先是『否認』，就是自欺欺人。挫折來時用力關門，否認整件事情的發生。下班後仍到她公司去等，等到越晚越有精神。薇琪沒回信，因為信被郵局寄丟了。事實上她天天在等你的消息，五分鐘檢查一次 message。」

「但這怎麼解釋她用各種藉口拒絕和我出來？」

「那你就想，她……她得了絕症，不想拖累到你，只好拒你千里，讓你徹底死心。」

「她看起來那麼健康都有絕症，那你我豈不成了鬼魂？這招不行，我太過清醒，無法自我蒙蔽。」

「第二種機制是『壓抑』，悲傷往心裏塞，表面上好像中了六合彩。薇琪不理你，你痛苦地想往窗外跳。遺書已經寫

好，拿起廚房的水果刀。這時爸媽走進來，問你是不是感冒。你說開什麼玩笑，我在等我熱的小籠包。朋友耐心地開導，你轉變話題說今天聽到一個笑話很好笑。朋友說你真能把她忘掉？你瀟灑地說天涯何處無芳草。朋友走後你吃安眠藥，上床時還摔了一跤。夜裏你仍然睡不著，滿腦子都是薇琪的好。」

「這招需要表演天分，我的演技不夠逼真。」

「那你就嘗試『退化』。遇到壓力時，你可以表現出人生早期，如童年的行徑。薇琪不理你，你開始摔家裏的東西。家人問你什麼事情，你擺著臭臉不發一語。朋友來安慰你，你說不用你們假惺惺。」

「親友是我僅存的支柱，失去他們我就全盤皆輸。」

「第四種叫『相反的形成』，壓抑自己真實、但社會不能接受的感覺，而表現出社會能接受的反應。你明明要薇琪甩掉未婚夫和你私奔，兩人搬到美國南方的小鎮。但你嘴巴上祝福他們永遠幸福，參加婚禮還包了兩萬五。你坐在主桌看他們不斷換衣服，一直告訴薇琪媽媽你女婿會對薇琪很照顧。他們最後向親友敬酒，你還一桌桌帶路。他們最後走進洞房，你還替他們點蠟燭。」

「士可殺不可辱，我沒辦法這樣服輸。」

「那你就『移轉』，放棄想追求卻得不到的事物，改以另一個不想追求，但比較容易得到的事物取代。薇琪拒絕你，你去追她的朋友莎莉。說服自己薇琪太過美麗，遲早會背叛

防衛機制

他們最後向親友敬酒，你還一桌桌帶路。他們最後走進洞房，你還替他們點蠟燭。

你。莎莉只有氣質，婚後比較不會出事。薇琪三心兩意，莎莉死心塌地。薇琪整天想上媒體，莎莉卻喜歡燒飯洗衣。」

「莎莉是有許多優點，不過她是 lesbian。」

「那你可以『縮小化』，將得不到的東西的重要性降低。薇琪拒絕你，其實沒有關係。愛情畢竟只是調劑，婚姻只是人生的一步棋。你抓不住女人的心理，不了解她們的邏輯。愛她愛到昏天黑地，她只把你當作追求者之一。時間浪費在這裏，轉眼就錯過商機。畢竟做生意比較實際，一分存款就有一分利息。」

「可是我對做生意完全沒有興趣。」

「那你『昇華』，將愛的能量轉移到其他更高貴的理想。你可以致身於環保，發明治療癌症的新藥。抗議貴婦穿皮草，收養流浪的狗和貓。」

「這世上誘惑太多，我很難寡慾清心。女同事的化妝品，捷運上對面乘客的短裙。路上情侶的背影，好萊塢電影裏的激情。每次看到這些東西，我都壓不住自己的獸性。」

「那你就試試『合理化』，對災難編出一個有利於自己的解釋。薇琪要結婚，因爲那男的不久於人世。爲了讓他安心地死，薇琪陪他過最後的日子。」

「我不要把自己的快樂建築在別人的死亡上。」

「那你就想薇琪和別人結婚，因爲你是外省人。她的祖父是二二八的冤魂，對你們有很深的仇恨。」

「薇琪是混血兒，她祖父是美國人。」

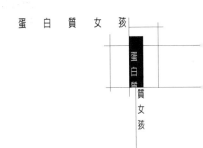

「好，那你只剩下最後一條路，就是『反應控制』，故意裝出和你內心感覺相反的反應。你悲痛欲絕，但要表現出衣食不缺。你想要揍人，反而躲在家裏自虐。」

「我又不是瘋子。」

張寶搖搖頭，「這樣你就無路可走了……」

我絕望，像一具骷髏，掉入沒人注意的水溝。

好友

大四那年一個男的把她肚子搞大，她半夜跑來問你能不能幫她。你跑到宿舍給那男的一頓毒打，臨走時罵X你娘的XX。你帶她去圓環一家診所，掛號時說你是孩子的爸爸。護士說你長得跟我們院長很像，給你八折算四千八……

好友

　　上禮拜我建立防衛機制，心情仍感到迷失。此時昔日的好友從美國回來度假，晚上和我約在西華。

　　「晚上一起吃飯！」張寶打電話來。

　　「我的好友從美國回來，我要和她見面。」

　　「男的還女的？」

　　「女的。」

　　「難怪你這麼急，小別勝新婚，今晚台北一定地震。」

　　「我們是朋友，不是你想像的那種關係。」

　　「當然不是……」張寶訕笑著。

　　你搖頭，不想跟張寶追究。

　　你們是最好的朋友，小學時你坐在她背後。上課時你拔她頭髮，在她頭上抹西門子地板臘。射橡皮筋時你把她當靶，下課時偷她的橡皮擦。樓梯上你抬頭看她內褲上的小花，向全班宣傳她的屁股很大。她把你推在地上打，你一拳揮掉她的門牙。她回家告訴爸爸，她爸爸打電話給你媽。為了讓你們和好，雙方家長帶你們去看「大白鯊」。你記得最後大白鯊把嘴張大，男主角丟入炸彈讓牠腦袋開花。

　　那天過後她不再找碴，你不再在她背上貼「母夜叉」。晨間檢查她借你手帕，班會時提名你當糾察。午睡起來練習書法，你寫得很快她一直叫你等她。放學後你們交換漫畫，你常到她家看「科學小飛俠」。她笑你沒有鐵雄瀟灑，你說妳的

221

胸部沒有珍珍大。看完卡通看綜藝節目，她喜歡站在桌上學
包娜娜。她的麥克風是一支掃把，唱「午夜香吻」時咬著一
朵玫瑰花。

國中時她開始學琵琶，你坐在音樂教室外聽得發傻。練
完琴後你替她拿譜架，兩個人一起坐公車回家。她替你扶正
風吹亂的頭髮，你幸福地說不出一句話。第二天早飯你為她
買蛋塔，午餐她為你準備了西瓜。補習後你們去吃消夜，叫
牛肉麵時記得她不加辣。你本是一隻癩蛤蟆，在她身邊變成
了蝙蝠俠。你穿著盔甲騎著白馬，她是沉睡的公主等你親吻
她的臉頰。

高中時她開始留長髮，每天上學被教官抓。你被選入樂
隊，吹比你還重的大喇叭。校慶園遊會你們班上玩十八拿，
她來捧場贏走所有的甜不辣。放學後你們去植物園背北洋軍
閥，她永遠記不得鹽的學名是氯化鈉。忘記時她眼睛不停地
眨，你的幻想快樂得不想回家。

高中畢業你們上同一所大學，你唸外文她讀司法。你開
始迷上莎士比亞，買了一頂中世紀的假髮。她開始信仰達賴
喇嘛，每餐只吃青菜和苦瓜。她參加學生運動，推動修改大
學法。你愛上奧菲莉亞，背熟整本希臘神話。法學院很多男
生追她，她漸漸沒時間回你電話。你在追中文系一個女生，
只因為她長得像她。

大四那年一個男的把她肚子搞大，她半夜跑來問你能不
能幫她。你跑到宿舍給那男的一頓毒打，臨走時罵×你娘的

××。他倒在地上問外文系怎麼會教這種文法，你補踢一腳說你專心流血少廢話。你帶她去圓環一家診所，掛號時說你是孩子的爸爸。護士說你長得跟我們院長很像，給你八折算四千八。

　　然後你們長大，開始在不同角落掙扎。大學時意興風發，如今天天被老闆臭罵。同事間只能談八卦，爸媽每天催你成家。生活變得很複雜，快樂飄渺得像掌中的沙。你開始常講「算了吧」，年少的理想一一作罷。別人問你「快樂嗎」，你總是久久不回答。別人問你的生涯規畫，你開始顧左右而言他。夢中醒來你常會害怕，感覺天花板突然倒塌。你的生活中人馬雜沓，夜闌人靜時卻感到如此貧乏。

　　你們偶爾見面，每次都是很短的時間。她的委屈你耐心傾聽，讓她在你懷中哭個不停。你追的女人她都批評，罵你為何眼高手低。你曾代她和男友談判，激動時推倒桌上的餐盤。她曾代你向女友求情，說你為了她得了心臟病。她教你如何取悅女性的身體，你才了解其實不一定要那麼用力。但她同時給你打擊，承認尺寸大小的確有關係。你告訴她當男人和妳談人生道理，心裏想的是如何脫妳的內衣。男人一再地拖延婚期，真正的原因是他根本不想娶妳。

　　時間過去，你們開始為彼此著急。她很熱心為你相親，你給她面子勉強出席。你回來說那女生條件不及妳的十分之一，若要娶她還不如娶妳。她表情非常甜蜜，一點都不像快接近更年期。

223

好

　　幾年後她移民到溫哥華，嫁的醫生可以當她爸爸。你留在台北工作，忙得有了高血壓。每年一張聖誕卡，她告訴你最近開始練瑜珈。周一周四學書法，周二周五上插花。她說別笑我附庸風雅，我家牆上也掛起名畫。最後說四月要回台北度假，想約你到飯店飲茶。

　　「好極了，」聽到這裏張寶大叫，「她還是有夫之婦！你們忍了這麼多年，現在終於火山爆發。」

　　「我們是朋友，這份友情得來不易，我不會用性破壞了它！」

　　「你等著瞧，你完璧歸趙我不叫張寶！」

　　我笑一笑，心想明天就可以給他另一個稱號。我坐上計程車，想起就要見到好友，我的心開始興奮地跳。

你親吻她的額頭，她自然地轉過頭去。你親吻她的臉龐，她笑說你把她弄得很癢。你親吻她的嘴唇，她這才知道你很認真。她把你推開，你粗暴地把她拉回來。她用力抵抗，你剎那間失去主張……

你抱住她

你 抱 住 她

她是一件美麗的洋裝，和我在一起卻漸漸發霉。

你抱住她

上禮拜張寶賭我會和多年不見的好友發生關係，我笑他低估了我們的友情。

「你的頭怎麼越來越光？身材越來越胖？」

她在飯店大廳拍我肩膀，我轉身的姿勢學 James Bond。她拉我手掌，微笑立刻溫暖了我的心房。

「我們去夜市吃蚵仔麵線。」

我們走在通化街，她自然地勾著我的臂。抬頭問我走得累不累，關心的神情像是我妹妹。她問我現在在泡哪個美眉，我說最近的手氣很背。台北的女孩不好追，她們願意做愛卻不願親嘴。她問那個蛋白質女孩怎麼會吹，我說幸福來時我不知如何應對。她問爲什麼不向她道歉，我說大丈夫有所爲有所不爲。她說那個台灣國語不是很美？我說我不想變成她的累贅。她是一件美麗的洋裝，和我在一起卻漸漸發霉。她說你像個烏龜，女人碰到你眞是倒楣。一兩次小小的挫敗，養成你奇怪的自卑。你拒人於千里之外，用禮貌小心防備。她已經對你剖心挖肺，你還老覺得她圖謀不軌。她說你是不是 gay，我嗆得眼睛發黑。她說你嗆到一定是心裏有鬼，難怪你會穿衣服身上老有香味。我說人不能做垃圾分類，你不要相信那些 cliché。她說這沒什麼好自卑，多年的老友你可以在我面前出櫃。她說你一個人怎麼過，我說我喜歡在車上聽王菲。有時開車時有點醉，撞到人只好乖乖理

賠。她說你雖然四肢健全，骨子裏是個殘廢。家裏應有盡
有，其實是個垃圾堆。

　　我說妳婚後的生活如何，她說至少周末有個人陪。老公
不喜歡和她做愛，卻喜歡吸她大腿。她懷疑老公有腎虧，也
有可能是陽萎。然而他和祕書又很曖昧，他每次講完電話她
都想問是誰。有一次她發現他身上有抓痕，以後每晚趁他睡
著時檢查他的背。我說沒有工作妳難道不覺得乏味，她說我
有一個很好的 microwave。你應該吃我的烤雞腿，金色的皮
又薄又脆。下午偶爾去標個會，插花課上我最拿手的是玫
瑰。我說妳難道不想有自己的事業，她說明年我四十一歲，
晚上越來越不能熟睡。夜裏廁所要上好幾回，早上起來酒還
想再喝一杯。我說妳在大學時曾把老國代逼退，信誓旦旦將
來要有一番作爲。她說她記不得那個女孩是誰，想起年少便
覺得疲憊。我說想不想搬回台北，她嫌這裏的停車費太貴。
我說妳的朋友都在這裏，她說朋友們遲早會四散紛飛。

　　我們吃完飯回到飯店，她請我看她房間。床頭電子鐘閃
著兩點，她檢查語言信箱卻沒有留言。我們併肩坐在床邊，
她要我幫她拉下背後的拉鍊。我瞥見她胸罩的蕾絲邊，嚥下
湧上的口水。她脫下高跟鞋踢到床下，我說要不要我幫妳
撿。她問我今晚能待到幾點，不等我回答就走進洗手間。她
說她要先洗個臉，你要不要打開電視看 CNN。我可以聽出她
沒有拉上浴簾，蓮蓬頭的水往浴缸外濺。我看到敞開的門露
出的燈光，不知爲什麼竟覺得刺眼。我打開 CNN，那斯達克

你

抱　住　她

她是一件美麗的洋裝，和我在一起卻漸漸發霉。

跌了三百點。我心不在焉，好奇她洗到哪個部位。突然間電話響，她圍著浴巾跑出來接。背對著我，身上的水珠滴到我的皮鞋。她突然轉過身，做手勢說是她老公來電。越洋電話，只為責怪她洗好的襪子為什麼沒有放在原點。她掛下電話，濕手拍我的肩。笑說你以後對老婆，不要用 stupid 這種字眼。她走回浴室，從浴室問我要不要點 room service。我知道我應該回家，再拖下去恐怕不能把持。但我賴在那裏，希望能得到更多的東西。我開始懷疑我為自己定下的規矩，也許真的太過嚴厲。

　　她走出來，穿著一件白色 T 恤。T 恤有些透明，你可以看到裏面沒有其他的東西。你們在沙發上坐下，房內一片黑漆。中央空調不斷送氣，你卻有點窒息。她說我明天早上的飛機，以後你要好好照顧自己。台北的好女孩很多，你不要太過挑剔。想知道她是不是真的愛你，結婚前告訴她你有隱疾。一億的負債就要到期，黑白兩道都要置你於死地。如果她還願意嫁你，你知道你們可以生死相依。講到這裏，她意識到自己的不切實際。笑倒在地，你卻繃得更緊。突然間你感到孤寂，彷彿站在懸崖峭壁。你沒有跳下去的勇氣，快樂又這樣遙遙無期。你親吻她的額頭，她自然地轉過頭去。你親吻她的臉龐，她笑說你把她弄得很癢。你親吻她的嘴唇，她這才知道你很認真。她把你推開，你用力把她拉回來。她用力抵抗，你剎那間失去主張。

　　你知道自己犯了大錯，站起來想要滅火。你對不起一直

說，她的 T 恤已被你撕破。你走到門邊，她坐在床緣。你轉
動門把，她輕聲說你好傻。你說你只是害怕，怕永遠沒有自
己的家。她說你是一個好男孩，上帝對你會有特別的計畫。
你走回來抱住她，想起當年你在她頭上抹地板臘。一起練書
法，她提名你當糾察。你聽她學琵琶，她來你們班玩十八
拿。你陪她到圓環的診所，理直氣壯地說我是孩子的爸爸……

　　你抱住她。

你可以是賭徒，只要你輸贏都拿得出現鈔。你可以是殺手，只要你開槍的手不會動搖。你可以是江洋大盜，只要你讓警察抓不著。你可以在巷口賣膏藥，只要它真能將所有的隱疾治好……

專業素養

專業素養

　　上禮拜我送好友上飛機，心情跌倒了谷底。張寶帶我去
參加派對，我為女性賓客感到吃虧。

　　「為什麼這些派對總是女多男少？」

　　「台灣未婚女性與男性的比率是 1.5 比 1，你難道不知
道？」

　　「可是昨天女生是男生的三倍！」

　　「你說得對……這是什麼原因……」張寶陷入長考，半年
來第一次用大腦，「我想這跟專業素養有關。」

　　「什麼？」

　　「你回想我們參加的這些派對，女性的職業很多樣。有女
工、有總機、有經理、有醫師。有的在汐止的工廠做事，有
的辦公室裏有自己的浴池。但男性的背景就很單純，他們一
概是外商的中級經理，襯衫領子上有兩個鈕子。你從沒在這
種派對上遇到……好比說，當警衛的男士。」

　　「嗯……」我深思。

　　「我們碰到的女性雖然職業不同，但有一點卻很一致，那
就是她們都很美麗。男性雖然背景類似，但外形就參差不
齊。你有沒有想過，這是什麼原因？」

　　我的眼睛慢慢張開，好像揭發了一個大陰謀。

　　「沒錯，」張寶替我說，「主辦人對女性的要求，只要漂
亮就好，因為來的男子不會在乎女生托福多高，會不會分析

231

專

業　素　養

女人選男人則像在買股票，你必須要有題材可炒。

思科的股票。反而職業平凡的女生，給他們的壓力較小。談話可以只談皮毛，不會識破他們老用的那幾招。但是主辦人對男性的要求，則是公司和頭銜要罩。頭銜是英文縮寫，工作內容沒人聽得懂最好。因為來的女子對男子的社會地位十分計較，你賺的錢絕對不能比她少。」

「天啊，這是……」

「一種沙文主義。男人重臉不重腦，大家都已經知道，所以這部分還不可怕。真正可怕是，女人這種沙文主義更微妙，你被歧視了還不知道。她們不重外表，似乎境界很高。但她們會盤算你能不能依靠，車子房子這些基本需求會不會少。像男人一樣，她們把你帶出去時也想感到驕傲，讓她的朋友讚美她真會挑。在這種派對中，男人選女人像在買麵包，外表的色香味最重要。女人選男人則像在買股票，你必須要有題材可炒。」

「不，我不信！女人怎麼會這樣？她們不是比男人更重視內涵和情調？」

「你是在講三十歲以前的女人。三十歲以後的女人都很實際，因為她們生理上已經開始拉警報。交往是為了要結婚，沒人有空跟你窮耗。你想和她午夜情挑，她只想看你們婚前的健康檢查報告。她們要確定你的工作能讓一家吃飽，小孩能去上美國學校，身上隨時有大筆現鈔，中共打來時能帶她往美國逃。」

232

「好險你告訴我，最近我在考慮要不要辭職去當藝術家，

因為我認識的女人都說有才氣的男人才有味道。」

「千萬不要掉入圈套。除非你的身價像梵谷一樣高，而就算梵谷也是死後才被當成寶。」

「可是電影中常演美女嫁給了窮男人，只因為他能讓她發笑。」

「除非你能每天不停耍寶，半年後還有新花招。」

「我只會講兩個笑話，女人聽了後都說時候不早。」

「那你還是努力培養自己的專業素養。」

「到底什麼工作最能得到女子的青睞？」

「那些乍聽之下不知道在幹什麼的：企管顧問、投資銀行家、系統分析師、基因工程師……」

「我怎麼懂那些。」

「那你就保住你的工作，不，保住還不夠，你必須在專業上有傑出的表現。你賺的錢也許不用最高，但表現一定要最好。你可以失敗，但必須不屈不撓。你可以是賭徒，只要你輸贏都拿得出現鈔。你可以是殺手，只要你開槍的手不會動搖。你可以是江洋大盜，只要你讓警察抓不著。你可以在巷口賣膏藥，只要它真能將所有的隱疾治好。沒有女人會尊敬沒有專業素養的男人。如果你做業務，每個月都達不到銷售目標，她會嫌你個性軟弱或口才不好。如果你是作家，每個禮拜都在押相同的韻腳，她會嫌你的個性太龜毛。相反的，如果你是李濤或黃子交，就算是死會大家都搶著要。」

「但是我如果花很多時間把專業弄好，哪有時間陪她

專　業　素　養

女人選男人則像在買股票，你必須要有題材可炒。

們？」

　　「喔，這不重要。你沒聽過日本男人如果下班後立刻回
家，老婆反而會覺得羞恥。」

　　我突然開竅，決定明天上班要提早。可以考慮讀夜校，
學一學最新的電腦技巧。我要培養專業素養，把我的身價提高。

LS 2504

　　那時我年輕、純真、主動、熱
情，容易被驚喜，說話沒有反諷的口
氣。我早起、寫日記、不用手機，愛
上後總是焦急。我急欲相信，急欲掏
空自己，急欲冒險，急欲在搞不清對
方想法時先說我愛妳……

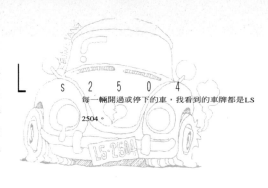

L S 2 5 0 4

每一輛開過或停下的車,我看到的車牌都是LS 2504。

LS 2504

上禮拜張寶帶我去派對,我打破了好幾個茶杯。

「你怎麼了?」張寶問。

「我還是想著薇琪。」

是的,想她喜歡的 Billie Holiday,星期六下午陰暗的客廳,你們各靠著一面牆壁,伸長腿,腳趾對腳趾地聽。三小時不發一點聲音,腳趾間卻說了千言萬語。想她腳趾上的指甲油,兩小時的作品。腳趾間夾著棉花,棉花露出滿足的表情。她是如此專心,甚至不准你站起來攪亂四周的空氣。想她逼你吃綠色的花菜,打汁時不准你躲開,威脅你不喝就別想做愛,你皺著眉頭,喝了一口就吐出來。想她在你生日那天快遞給你一個望遠鏡,下午三點叫你隔著民生東路看對面 17 樓的公司的 lobby。她站在落地窗前,對你慢慢撩起上衣。想你們約定那晚第一次上床,你千辛萬苦弄到一顆威而鋼。你和所有朋友深談,他們幫你列了一張清單。她把頭髮挑染,口紅的顏色特別淡。你把手放在她的屁股,她把舌頭伸到你的嘴裏,你緊張得一下子喘不過氣,咳得肺都往上移。你解開她的睡衣,裏面竟然有一張 3M 的 Post-it,上面是一則黃色笑話,你笑得跌倒在地。想當她搬到新家,屋內什麼都沒有,第一件事卻是去誠品買食譜,照上面的指示買原料和廚房用具,前後花了八小時,只為她堅持要親手做東西給你吃。你吞到嘴裏難以下嚥,卻說這是我吃過最棒的海

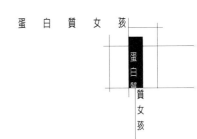

鮮。想她在去紐約的飛機上打電話給你，老闆正和你討論思
科股票的本益比，她告訴你此刻正飛過你們去過的斐濟，你
對老闆說對不起我要接這個手機。想你們在斐濟的阿酷拉小
島，兩人各坐著一具拖曳傘飛上天，風把你們越吹越近，近
到讓你能迅速親吻她，然後兩支傘纏在一起，你們一起掉進
海中餵魚。想起她到紐約後傳真給你一張白紙，右下角寫著
蠅頭小字「沒有你的在紐約的我」。你在辦公室回傳給她一張
黑紙，上面寫「沒有你的台北的白天」。傳完後你忘了拿回原
稿，女老闆拿著那張紙走到你的座位，「你們認識多久？」
「兩個禮拜。」「Slow down, boy......」她說。想起她在健身房
跑步，你去找她，在忠孝敦化站下捷運，快步跑上電扶梯。
你到了健身房，看她汗濕了 T 恤上半身的背影，不忍心打斷
她，於是站在牆邊的啞鈴旁，一等就是一個小時，原本去找
她的理由最後完全忘記。想起她幫你剪頭髮，因為技術不
佳，原本要剪謝霆鋒的髮型，最後剪成成功嶺的髮型，一個
月後你在沙發夾縫裏發現當天剪下的頭髮，還有她一張如何
剪髮的筆記。想起她生病時你幫她量口溫，她躺在沙發你坐
在她身旁，她含著口溫計無聲地說「我好怕」，你說那我們量
肛溫好了，這樣妳至少可以跟我說話。想她生氣時用高跟鞋
踢你，離開時用力按電梯，走進計程車把你的鑰匙丟在地
上，車內的背影正掩面哭泣……

　　「你記得計程車的車號嗎？」

　　「車號？」

237

每一輛開過或停下的車，我看到的車牌都是LS 2504。

「是不是 LS 2504？」

「LS 2504？」

「那是我多年前女友的車子。那時她下班後都會來接我，我看到 LS 2504，覺得一天從這裏才開始。和她分手後，我下班後站在公司大樓門口，一站就是一個小時，每一輛開過或停下的車，我看到的車牌都是 LS 2504。」

「你也會這樣？」

「那時我不像現在這樣，」張寶說，「那時我年輕、純真、主動、熱情，容易被驚喜，說話沒有反諷的口氣。我早起、寫日記、不用手機，愛上後總是焦急。我急欲相信，急欲掏空自己，急欲冒險，急欲在搞不清對方想法時先說我愛妳。那時我不玩遊戲，覺得誠實能縮短兩個人的距離。不懷疑，事情古怪時先笑自己多心。那時我愛她，愛她的爸爸，愛她的弟弟，愛她的 CD。我努力，讓自己有更好的身體、個性、品味、和財力。我積極，每天送她不同的東西，研究了無數的小說和電影，希望在她面前變一些別的男人沒玩過的把戲。我一直以為我們的矛盾沒什麼稀奇，差異沒有太大的關係。最後我們會在一起，婚禮可以辦得讓爸媽高興。一直到她說明天就要上飛機，我還問回來時要不要我來接妳。」

「後來你怎麼辦？」

「我經歷了 LS 2504 時期，在醫院打了幾天點滴。白天聽隔壁病人叫痛，晚上睡覺開始吃鎮靜劑。早上起來先打開 ICRT，沖冷水澡讓我顫抖著無法想別的事情。我每天加班，

晚上盡量不一個人待在家裏。找朋友，在昂貴的餐廳吃單調的 spaghetti。胡椒加得很多，因為味覺變得不太靈。水喝得很少，因為沒有拿起杯子的力氣。朋友談，我跟著笑，只是表情僵硬，聲音變得很低。我跟著討論正在演的電影，男女主角最後怎樣總是記不清。當朋友們熱烈的討論突然停止時，我的腦袋會突然閃過一段回憶，像一陣涼風吹過腳底，所有的復健都前功盡棄……」

「然後呢？」

「然後你重複同樣的過程，四、五次後，你會覺得體重越來越輕。最後，也許你現在很難相信，這一切都會過去。」

「會嗎？」

張寶點頭，我看著今天的他，想起他描述的昔日的自己，不知為什麼突然覺得更難受。

她笑說你小得可以當我兒子，當你長大我已五十。到時你會愛上同齡的女子，我會是你幸福的絆腳石。她拍拍你的肩膀，提醒你下節課還要考試。你倒在地上，制服被你哭濕……

五月九月戀情

五月九月戀情

上禮拜我學習如何想念女生，上上禮拜派對中認識的女子突然來敲我家門。

「我找到了！」我高興地對張寶說。

「找到什麼？」

「我的眞愛。」

「你的什麼？」

「我的眞愛，她年紀比我大，我感覺自己是她的小孩！」

「萬萬不可，」張寶給我一巴掌，我倒在地上，「我看過太多男小女大的愛情，結果都是上法庭或下地獄。她是你小學的導師，右眼下有一顆痣。當你的女同學都在換牙齒，她看起來像維納斯。膚色透明得像荔枝，胸部突出得像包子。身上聞起來像鮮果汁，遙不可及如蔣介石。當她在台上教夏商周的故事，其實是開啓了你的情史。中午時你專心地看她進食，不小心竟咬斷口中的筷子。你愛她愛到什麼都不吃，舌頭卻一直舔著湯匙。午睡後她教你寫毛筆字，雪白的手緊握你的手指。下午她講蕨類的無性生殖，你幻想能和她獨處一室。爲了她你每天自願値日，記事本寫得好像是一首新詩。周記上的本周大事，你寫的是老師穿了一件新的裙子。她的評語是謝謝你注意，讚美你有細膩的心思。你把這當作暗示，開始對她發動猛烈攻勢。你爲她寫了一首詞，引用她教你的紅豆生南國春來發幾枝。你偷偷放到她的辦公室，上

241

面署名無名氏。你順便偷了她辦公桌下的鞋子，準備拿回家試一試。她看出是你的字，下課時要你陪她走到荷花池。你沉不住氣說沒有妳我會死，不能愛妳我寧願進少林寺。她笑說你小得可以當我兒子，當你長大我已五十。到時你會愛上年輕的女子，我會是你幸福的絆腳石。她拍拍你的肩膀，提醒你下節課還要考試。你倒在地上，制服被你哭濕。」

「這不一樣，當時我很幼稚。」

他瞪我一眼。

「好，現在的我也不過如此，但至少不再是小孩子！」

「那沒有差別，你還是在追求五月九月戀情。」

「『五月九月戀情』？」

「你的人生還在暑期，她已進入秋季。你的青春痘還在擠，她已經接近更年期，」他勸我，「街上這麼多漂亮的女孩比你年輕，何苦偏偏找一個阿姨？」

「年輕女孩只喜歡玩遊戲，年紀大的女人懂得如何建立關係。」

「建立關係的意思是把你盯得很緊，你最後一定會喘不過氣。」

「年輕女孩在床上暴飲暴食，她懂得細嚼慢嚥。」

「她不用拚命賺錢，當然比較有美國時間。」

「年輕女孩沒有經驗，她懂得哪種姿勢走得最遠。」

「但年輕女孩勇於嘗試，她只能固守城池。」

「年輕女孩口味多變，但她可以愛你幾十年。」

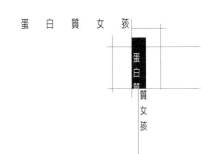

「那是因為她已經有老花眼，看不出很多男人有比你更好的條件。」

「年輕女孩愛炫，她愛緣。」

「那是因為她失去信仰，開始追求形而上。」

「年輕女孩拚命在大公司求升遷，她卻不流俗地自己開店。」

「那是因為她失去鬥志，不再在乎得失。」

「年輕女孩非常愛現，她卻有一種中年的靦腆。」

「那是因為她缺乏自信，承受不了被拒絕的打擊。」

「年輕女孩嘴巴很甜，她卻不會隨便把你捧上天。」

「那是因為她怕你覺得自己太好，轉過頭就把她甩掉。」

「年輕女孩對你的興趣會與日俱減，她卻每天都能發現你新的一面。」

「那是因為她願意妥協，告訴自己野百合也有春天。」

「年輕女孩談戀愛在耍老千，她談戀愛像在種田。」

「那是因為她的外表已不容易讓人受騙，她只好退求其次走務實路線。」

「年輕女孩想你頂多把你的號碼放到手機裏面，她想你卻可以整夜失眠。」

「那是因為她覺得不安全，一上床就開始鑽牛角尖。」

「年輕女孩的高潮很淺，她卻可以重複一百遍。」

「這個你沒有親身經驗，我懶得反駁你的論點。」

「年輕女孩看到小孩就怕，她已經有一個兒子在地上

爬。」

「你自己都還沒長大，怎麼做她小孩的爸爸？」

「聽著，」我從地上站起來，「我愛她，沒什麼能讓我改變！她雖然年紀稍長，卻充滿對生命的慾望！」

「當然，她正處於狼虎之年！」

「你閉嘴，」我後退，「你根本還沒見過她，就開始喊捉鬼。我已經厭倦了你為反對而反對。一年來，每次我想追求真愛的滋味，你總要警告我最後都會人事全非。你在銀行操作外匯，大贏大輸頭也不回。面對自己的情感，為什麼永遠是縮頭烏龜？為什麼你沒有勇氣嘗試一點非理性行為？為什麼你總是急著做消防隊？」

「因為你沒有本錢血本無歸。」

「你等著看我……」

「她老得可以當你外婆，這將是一場災禍！」

我決定賭博。

我重複使用相同的招術，騙到女生越來越覺得勝之不武。上床時急得沒有完全脫光衣服，前置作業做得十分馬虎。結束後我們比先前更為生疏，兩人都希望對方今晚不要在這裏住⋯⋯

真實時刻

真實時刻

上禮拜張寶阻止我追求五月九月戀情，我迷惑之際生了一場大病。

「你應該像我一樣每天晨跑！」一大早張寶滿身大汗地跑到我家。

「不用了，我一向健康，這次只是反常。」

「晨跑不全是為了健康，有時跑到一半幸福會從天而降。」

「你是說……」

「我的真實時刻終於發生了。」

「『真實時刻』？」

「每個人一生都有一個片刻，那一剎那你會完全展現你的性格、價值、命運，和美德。」

「你的真實時刻是……」

「那天我在晨跑時遇到了我的新娘。我那時戴著耳機，聽著無印良品的『胡思亂想』。回憶湧上心頭，我不出聲地跟著唱。此時她從對面跑來，看我的眼神落落大方。她摘下我的耳機，說你長得有點像光良。你正唱到『也許我不知道你真的那麼好我的思念你又明瞭多少』，這剛好是整首歌我最喜歡的地方。」

「你說你在晨跑時遇到了你的什麼？」

「新娘。」

「你……」

「五月二十號你有沒有事？」

「你想去舞廳？」

「我要你當我的伴郎！」

當天晚上張寶介紹我和她認識。

「你不能娶她！」事後我警告張寶。

「爲什麼？」

「她是蛋白質女孩！」

「蛋白質女孩最適合做老伴！」

「她相貌平凡、身材像切菜板、學歷只有五專、動作十分緩慢。她是你過去所有女友的相反！」

「當你有了眞愛，愛情就不再有任何門檻。」

「你怎麼知道你對她有眞愛？搞不好只是因爲最近沒有認識別的女孩？」

「你有沒有想一個人想到胃痛，吻一個人吻到嘴巴腫？」

「等一等，你不能結婚。你只是暫時性的疲倦，你，你站好，讓我給你一拳。」

「這不是暫時的。我已經厭倦了單身生活。中午過後就開始約晚上的節目，只是害怕下班後一個人獨處。我重複使用相同的招術，騙到女生越來越覺得勝之不武。上床時急得沒有完全脫光衣服，前置作業總是十分馬虎。整個過程越來越快結束，最後的快樂越來越不滿足。結束後我們比先前更爲生疏，兩個人都希望對方今晚不要在這裏住。剛剛才將她視

247

實　時　刻

你有沒有想一個人想到胃痛，吻一個人吻到嘴巴腫？

如己出，立刻就感覺她只是昨晚看過的綜藝節目。

　　有時候沒有約到任何女人，站在捷運站突然覺得很冷。不斷檢查有沒有人留言，戒了好久終於又忍不住點菸。走到餐廳菜單看個很久，不自覺地腳開始抖動。菜上來了你只想快快吃完，感覺成對的客人都在嘲笑你的孤單。十點多你不敢回家，想去找前幾天認識的 Lisa。你撥了前七個號碼，突然賭氣說為什麼每次都是我打電話給她？」

　　「這是你的個性，跟單身沒有關係。」

　　「當然有，我要徹底改變我的生活。中午過後打電話給老婆，她接起來後你不用報名直接說是我。仔細問她今天早上怎麼過，無聊的會議多不多。她說下班後能不能來接我，晚上一起去吃麻辣火鍋。整個下午你安心工作，不再拿出電話簿不停地撥。」

　　晚上見面不需刻意表現，語氣和手勢不必事先排演。坐下後不必替她點菸，結帳時不需假裝搶著付錢。所有的菜都讓她選，她會說你要少吃點鹽。吃完後走在街上，彼此握緊對方的手掌。她問那個辣妹你覺得漂不漂亮，我說我喜歡妳的自然健康。她說你難道不覺得我有點胖，我立刻談起明天的氣象。走到 Sogo 她拉我進去逛，為我買了一套西裝。她說你需要亮一點的顏色，不要每天穿得像共產黨。回家後她去洗澡，我吃她做的蛋糕。她從浴室中大喊，別忘了今年我們的稅要合併申報。我邊吃邊瞄她布置的花草，心想這才有家的味道。洗完後我幫她按摩腳，腳底的死皮小心地撕掉。電

視上演著『北非諜影』，英格麗褒曼正無奈地笑。我邊按邊說妳的腳怎麼這麼小，她露出笑容已經睡著。」

「就這樣，沒有狂野的性？」

「就這樣，我睡得無比安穩。不再有奇怪的夢，不再半夜醒來瞪著時鐘。第二天她會先醒來。她穿著我的四角內褲，光著一雙腳丫。我躺在床上看她刷牙，聽她吹半小時頭髮。她叫我起來幫她找絲襪，扣緊紅色的 Wonderbra。臨走時她為了找不到鑰匙而咒罵，我說妳不需鑰匙我永遠在家。」

「這就是你要的生活？你令我想起我媽。」

「結婚最棒的是周末的時候，你醒來有一個人在你的床頭。她睡覺時眉頭會皺，好像在夢中試著把一首詩背熟。你們坐捷運去吃 brunch，買一張儲值卡找回一堆硬幣。她斜躺在你的身上，不在乎別人的眼光。下午一同去逛遠企，兩人牽著手在人群中擠。她要你幫她買 i.n.e.，你說錢要省著付貸款的利息。她走到電梯旁跟你生氣，你說妳怎麼這麼不講理。」

「整個下午你們冷戰，到了晚上她還不吃東西。你開始冷言冷語，說沒想到妳這麼物質主義。婚前妳都穿成衣，口口聲聲說讀書是妳最大的興趣。她毫不留情地反擊，說你怎麼不說你買的那件 Armani。婚前你說要為我摘天上的星星，現在一定要五折才考慮。」

「沒錯，」我立刻說，「婚姻最後就是一連串無謂的爭吵，你何苦往火坑裏跳？」

「你不懂，爭吵中也有愛的成分，你氣得發瘋是因為你在

乎這個人。她不准我回房睡覺，我在沙發上慢慢睡著。半夜她出來把我的頭扶好，我醒來看到她熟悉的微笑。我們在沙發上把彼此的衣服脫掉，吵架後的性愛往往更美好。」

講理不行，我開始訴諸劣根性。

「你去結婚，便不再有權利認識漂亮的女人。」

「我問你，」張寶靠近，「你為什麼這麼反對我的婚事，完全失去理性？」

「我……」

「你平常一向保守純情，為什麼突然變得浪蕩不羈？」

「我……」

「為什麼？」

接下來呢？

有些女孩很真，有些很純，有些很冷，有些很笨。有些像旋轉門，有些像跑馬燈，有些像聚寶盆，有些像地雷坑。有些可以私奔，有些敢愛敢恨，有些像多氯聯苯，有些值得共度餘生……

接

下 來 呢 ？

認識女人像參加猜謎遊戲，我是天才兒童但得

分很低。

接下來呢？

上禮拜張寶問我為什麼阻止他結婚，我開始捫心自問。

「你是我的好朋友，你應該祝福我有了好的歸宿。」張寶說。

我說：「你是我唯一的朋友，你結婚後我會很孤獨。」

我回想過去一年，張寶每天在我身邊。他教我如何追求女生，怎樣變成更性感的男人。他對台北的女子歸類評論，我彷彿都認識了她們。有些女孩很真，有些很純，有些很冷，有些很笨。有些像旋轉門，有些像跑馬燈，有些像聚寶盆，有些像地雷坑。有些可以私奔，有些敢愛敢恨，有些像多氯聯苯，有些值得共度餘生。張寶帶我衝鋒陷陣，給我機會上床得分。他給我阿Q精神，讓我臉皮變厚幾寸。沒有張寶，我只能在電話旁等。沒有張寶，我只能怨天尤人。

張寶搖頭笑笑，「我能教你的也只有這些，我宣布你今天畢業。現在你要挑一雙合腳的鞋，大方地走進這個世界。愛有時候像耶誕夜，有時像光復節，有時像華西街，有時像大荒野。有時像打獵，你只是為了證明你的優越。有時像鍋貼，煮熟的方法必須從外到內。有時像洞穴，你躲進去逃避這個世界。有時像流血，停止它需要一點時間。有時像上學，你不喜歡但已習慣了你的同學。有時像下雪，完全遮住你的視線。有時像拿鐵，是文化和品味的表現。有時像紙屑，用完後就被丟在大街。有時候無解，你愛的人是你姊姊。有時候犯賤，娶了妻又想納妾。有時像北大西洋公約，

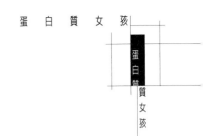

你們的結合只在抵抗一個不復存在的威脅。有時像聯合國安理會，重大歧見永遠無法徹底解決。不管它是什麼，你必須親身體驗。你不能永遠站在我旁邊，讚嘆或批評我的表演。」

　　張寶決定結婚，我最後只能祝福他們。婚期定在五月二十，蜜月會在溫暖的夏日。我答應當他的伴郎，為他打點婚禮的大小事項。其中最難的是邀請一年來他認識的女子來參加婚禮。我打電話給高維修女子，她口氣冰冷得好像剛剛有人過世。我打電話給蛋白質女孩，她快樂得像剛吃了一個蘋果派。安娜蘇說她不再吃 RU486，今年秋天就要去上 NYU。邁阿密的寒冷說她不後悔愛上自己的老闆，堅信真愛超越所有世俗的規範。

　　當然我也找了張寶幫我追過的 CSR，我仍相信貝爾是為了她的聲音而發明電話。女強人離開了投資公司在網路創業，快要上市但公司仍不賺錢。壞女孩申請到了史丹佛的MBA，頻頻問我舊金山的生活費貴不貴。搞了半天莎莉並不是 lesbian，她只是剛好喜歡短髮和 k. d. lang。

　　雖然我極不願意，但也找了雷射頭。他依然英俊瀟灑，聽說是茱蒂佛斯特兒子的爸爸。我也找了 90 度褲子先生，他和薇琪剛在拉斯維加斯成為新人。聽說他在婚禮上打扮成貓王，我一輩子都無法想像。我和 90 度促膝長談，從 Graceland 談到葛林斯潘。

　　「你最喜歡的經濟學家是誰？」他問我。

　　我看著一旁的薇琪，她微笑地眨眼睛。

253

接下來呢？

認識女人像參加猜謎遊戲，我是天才兒童但得分很低。

「剛好是葛林斯潘。」我說。啊，凱因斯，就永遠當作是我和薇琪的祕密。

證婚人讓我大傷腦筋。我本來想找陳水扁，但他五月二十號好像有別的 plan。最後找了張寶的老闆，他是外國人所以致詞會很短暫。

十九號那晚我為張寶舉辦了告別單身派對。我們去了一家酒廊，小姐一個比一個漂亮。張寶最喜歡的是 Linda，她坐在張寶身上身體軟得像棉花糖。她自成一個磁場，整晚張寶黏在她身旁。我在一旁看得很緊張，口水嚥得越來越勉強。張寶笑得很狂放，好像明天世界就要滅亡。

第二天到了中午張寶才起床，洗臉時還有點搖晃。我替他拍拍西裝，準備開車去迎娶新娘。然後我在他西裝口袋裏發現 Linda 的名片。

「你帶著這個幹嘛？」

「我……」他支吾，「我擺錯地方。」他搶回名片，上車時有些慌張。

晚上五點，雙方父母去最後檢查會場，我陪新人待在新房。蛋白質女孩在做最後補妝，我從來沒有想到她竟可以如此閃亮。張寶一個人躲在廚房，昨晚的食物還沒有吐光。門鈴響，我打開……

竟然是 Linda！

「妳來幹什麼？」

「張寶找我來的。」

這時張寶跑過來，汗水已經溶了他臉上的妝。

「跟我來……」他帶著 Linda 走進樓梯間。

我跟上去，樓梯間的門被鎖了起來。我用力敲了十分鐘，門才慢慢打開。

張寶倒在我身上，領帶已經鬆綁，脖子上血脈僨張，臉摸起來很燙。我們站在飯店 20 樓的走廊，卻感覺踏在一朵雲上。

「我不能結婚！」他抓住我的衣領。

「什麼？」

他一直喘氣，好像剛跑完百米。

「我不能結婚，我發現我還是會愛上別人……」

「Linda？」

他點頭，我刷他一巴掌。

「你這個王八！」

「隨你要殺要剮，但我必須說真話。」

「聽著，那不是愛，」我抓住他的頭髮，「愛你的人在新房，Linda 喜歡你只是因為昨晚我們小費給得很大方。」

「不，Linda 是愛我的！」他推開我，喝醉酒一般搖晃，「我，我要走了，剩下的事你來擋……」

「等一等——」我抓住他西裝的尾巴，他被我拉倒在地上。我抓起他，把他拖到牆上，「你今天一定得結婚！」

「不！」

「記不記得你上禮拜跟我說，你已經厭倦了單身生活，沒

接下來呢？

認識女人像參加猜謎遊戲，我是天才兒童但得分很低。

有力氣再對抗寂寞？」

「有了 Linda 我不會寂寞。」

「記不記得你說，你希望每天醒來有一個人睡在旁邊，她的笑容圓滿得可以用來發電。」

「那是我為了要結婚而自圓其說。其實每天醒來我最渴望的是 ICRT 的廣播，聽到昨晚 NASDAQ 指數又被打破。」

「不，」我大吼，「你不是一個這麼物質的人！」

「不，我是！」他吼回來，我嚇得退後三步，「我希望我不是，希望自己能欣賞女人的氣質，對藝術不是這麼無知，能勇敢地講自己的心事，看到落葉能寫一首詩。我試著要那樣，但我做不到，」他站起來，拍掉身上的灰塵，「不要自欺欺人，你和我一樣，只是你壓抑得比較好。」

我坐到地上，想起一年來我們遇到過的女人。認識她們像參加猜謎遊戲，我是天才兒童但得分很低。她們是深海我想探底，最後卻慘遭溺斃。也許張寶是對的，追求心靈最後會身心俱疲，重視物質可以讓這一切比較容易。

我驚醒過來，張寶不見了。

我衝到新房，只看見新娘困惑的眼光。我跑到典禮會場，五十桌的客人已開始抬頭仰望。

「各位先吃瓜子！」

我衝到 lobby。

「他開禮車跑走了！」服務生說。

我跳進計程車追去。張寶開得很快，禮車上飄揚的紅絲

帶好像在說「有種你過來」。我可以看到張寶的後腦，篤定得
像一尊石雕。我把頭伸出窗外對前面大叫，差點摔到路上的
安全島。他開過餐廳、舞廳、pub、KTV、我們的小學、中
學、大學，他猛按喇叭，好像是在對這個城市說一個笑話。
就在他大鳴大放時，他的車撞到前面一輛跑車。

　　一名女子從跑車上下來，身材和臉蛋都比跑車還要精
采。她大罵張寶，三字經刺耳得像一把刀。如此美麗的女子
用這樣的語言，你真的覺得上帝在和你開玩笑。

　　我走上前，張寶也走出來。我們三個人站在路中間，一
切又回到原點。

　　「接下來呢？」女子問。

　　我們對望。

王文華 作品集 1

蛋白質女孩

作　　者—王文華
董 事 長—孫思照
發 行 人—孫思照
總 經 理—莫昭平
總 編 輯—彭蕙仙
出 版 者—時報文化出版企業股份有限公司
　　　　　台北市108和平西路三段二四〇號三樓
　　　　　客服專線—(〇二)二三〇四—七一〇三
　　　　　郵撥—〇一〇三八五四〇時報出版公司
　　　　　信箱—台北郵政七九〜九九信箱
時報悅讀網—http://www.readingtimes.com.tw
電子郵件信箱—popular@readingtimes.com.tw
副 主 編—梁心愉
編　　輯—林文理
印　　刷—科樂彩色印刷有限公司
初版一刷—二〇〇〇年六月十二日
初版十刷—二〇〇一年三月二十五日
定　　價—新台幣二三〇元

○行政院新聞局版北市業字第八〇號
版權所有　翻印必究
（缺頁或破損的書，請寄回更換）

國家圖書館出版品預行編目資料

蛋白質女孩／王文華著. -- 初版. -- 臺北市
：時報文化，2000〔民89〕
　面；　　公分. -- （王文華作品集；1）

ISBN 957-13-3137-6（平裝）

855　　　　　　　　　　　89006132

ISBN 957-13-3137-6
Printed in Taiwan

廣告回郵
北區郵政管理局登
記證北台字1500號
免貼郵票

地址：108台北市和平西路三段240號3樓
讀者服務專線：080-231-705‧(02)2304-7103
讀者服務傳真：(02)2304-6858
郵撥：01038540時報出版公司

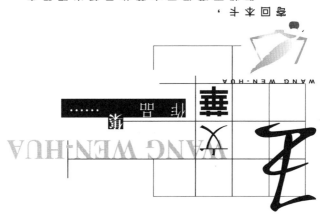

編號：PW 0001	書名：蛋白質女孩
姓名：	性別：＿＿＿＿ 1.男　2.女
出生日期：　年　月　日	身份證字號：

＿＿＿＿　學歷：1.小學　2.國中　3.高中　4.大專　5.研究所（含以上）

＿＿＿＿　職業：1.學生　2.公務（含軍警）　3.家管　4.服務　5.金融

　　　　　　　6.製造　7.資訊　8.大眾專播　9.自由業　10.農漁牧

　　　　　　　11.退休　12.其它

地址：＿＿＿＿縣(市)＿＿＿＿鄉鎮區＿＿＿＿村＿＿＿＿里

＿＿＿＿鄰＿＿＿＿路(街)＿＿段＿＿巷＿＿弄＿＿號＿＿樓

郵遞區號＿＿＿＿＿＿＿

（下列資料請以數字填在每題前之空格處）

＿＿＿＿　**購書地點／**
1.書店　2.書展　3.書報攤　4.郵購　5.直銷　6.贈閱　7.其他＿＿＿＿

＿＿＿＿　**您從哪裡得知本書／**
1.書店　2.報紙廣告　3.報紙專欄　4.雜誌廣告　5.親友介紹
6.DM廣告傳單　7.其他＿＿＿＿

＿＿＿＿　**您希望我們為您出版哪一類的作品／**
1.心理　2.勵志　3.成長
4.潛能　5.知識　6.其他＿＿＿＿

您對本書的意見／
＿＿＿＿　內容／1.滿意　2.尚可　3.應改進
＿＿＿＿　編輯／1.滿意　2.尚可　3.應改進
＿＿＿＿　封面設計／1.滿意　2.尚可　3.應改進
＿＿＿＿　校對／1.滿意　2.尚可　3.應改進
＿＿＿＿　定價／1.偏低　2.適中　3.偏高

您的建議／